LE JOUR OÙ
JE N'AI PAS PU PLONGER

SYLVIE BERNIER

Le jour où je n'ai pas pu plonger

LES ÉDITIONS **LA PRESSE**

Catalogage avant publication de Bibliothèque et Archives nationales du Québec et Bibliothèque et Archives Canada

Titre : Le jour où je n'ai pas pu plonger / Sylvie Bernier.

Noms : Bernier, Sylvie, 1964- auteure.

Identifiants : Canadiana 20190011246 | ISBN 9782897057572

Vedettes-matière : RVM : Bernier, Sylvie, 1964- | RVM : Plongeuses (Natation)—Québec (Province)—Biographies.

Classification : LCC GV838.B47 A3 2019 | CDD 797.2/4092—dc23

Président : Jean-François Bouchard
Directeur de l'édition et éditeur délégué : Pierre Cayouette
Directrice administrative : Nancy Lauzon
Responsable, gestion de la production : Emmanuelle Martino
Attachée de presse : Marie Thore

Conception graphique : Simon L'Archevêque
Photo de l'auteure : Laurence Labat
Révision linguistique et correction d'épreuves : Laurie Vanhoorne

L'éditeur bénéficie du soutien de la Société de développement des entreprises culturelles du Québec (SODEC) pour son programme d'édition et pour ses activités de promotion.

L'éditeur remercie le gouvernement du Québec de l'aide financière accordée à l'édition de cet ouvrage par l'entremise du Programme de crédit d'impôt pour l'édition de livres, administré par la SODEC.

Nous reconnaissons l'aide financière du gouvernement du Canada par l'entremise du Fonds du livre du Canada (FLC).

Dépôt légal — 2e trimestre 2019
ISBN 978-2-89705-757-2
Imprimé et relié au Canada

LES ÉDITIONS **LA PRESSE**
Les Éditions La Presse
750, boul. Saint-Laurent
Montréal (Québec)
H2Y 2Z4

À toi, Raphaël,
ma source d'inspiration et de transformation.

À France et Jean-François, pour toute la force
que me procure notre lien indéfectible, merci !
Clin d'œil d'amour à mes deux neveux adorés,
Antoine et Alexis.

Prologue

J'AI VÉCU LES PLUS BEAUX MOMENTS DE MA VIE DANS L'EAU. Le 6 août 1984, devant des millions de téléspectateurs d'un bout à l'autre de la planète, j'ai remporté la médaille d'or aux Jeux olympiques de Los Angeles au tremplin de trois mètres. J'avais vingt ans. Cette médaille couronnait treize années d'entraînement. Depuis ce jour, pas une semaine ne passe sans qu'on me rappelle cet exploit. Souvent, dans des endroits publics, des inconnus viennent gentiment me saluer. Ils me félicitent et me parlent de cette médaille d'or comme si je l'avais remportée la veille. Ils ont peine à me croire quand je leur rappelle, avec un large sourire, le nombre d'années qui se sont écoulées depuis ces Jeux (35 ans au moment où j'écris ces lignes).

Après cet exploit olympique, j'ai mis un terme à ma carrière d'athlète. La boucle était bouclée. J'étais allée au bout de mon rêve d'enfance et je pouvais désormais tourner la page, entreprendre une nouvelle étape de ma vie. Dans mon esprit, il n'y avait aucun doute : je tirerais ma révérence après cette médaille d'or. Parler de « rêve d'enfance » ici n'est pas une image. Le jour où l'Américaine Jennifer Chandler a remporté l'épreuve du tremplin de trois mètres aux Jeux olympiques de Montréal, en 1976, j'ai en effet regardé ma mère droit dans les yeux et, du haut de mes douze ans, lui ai confié que je savais désormais ce que je voulais faire dans la vie : être une championne de plongeon et gagner une médaille olympique.

Je ne suis jamais remontée sur un tremplin après les Jeux de Los Angeles. Enfin, presque... En vérité, je l'ai fait une autre fois, en 1996, à l'invitation d'Annie Pelletier, médaillée de bronze aux Jeux de 1996 à Atlanta, dans le cadre d'une émission spéciale avec Céline Dion. Pareille occasion ne se refuse pas. La célèbre chanteuse avait accepté d'être la marraine d'honneur d'une grande campagne de collecte de fonds pour la Fondation de l'athlète d'excellence du Québec, dont j'étais la co-vice-présidente du Bureau des gouverneurs et porte-parole avec l'ex-patineur et champion olympique Gaétan Boucher. Après cette brève parenthèse, je me suis tenue loin des tremplins.

Le plongeon n'est pas un sport que l'on peut se permettre de pratiquer en dilettante, comme le tennis, le vélo ou la natation. Avant de s'élancer d'un tremplin ou d'une tour de dix mètres, on doit s'entraîner intensivement plusieurs semaines. Autrement, le risque de blessure demeure trop élevé, tant dans les mouvements dans les airs que lors de l'entrée à l'eau.

J'ai vécu les plus beaux moments de ma vie dans l'eau, disais-je. J'y ai aussi vécu le pire moment de ma vie. Le 24 juillet 2002, dans la rivière Nouvelle, en Gaspésie, mon neveu Raphaël s'est noyé sous mes yeux lors d'une randonnée en canot. Il avait cinq ans. Cette tragédie m'a bouleversée. Ce drame fut pour moi un traumatisme dont j'ai senti les ravages tout au long des 16 dernières années, sans jamais en parler trop publiquement. On m'a vue tout au long de ma vie publique souriante, dynamique, affable. J'incarnais même, pour plusieurs, la joie de vivre, un certain idéal du bonheur, à travers le plein air et les saines habitudes de vie. Pourtant, je dissimulais une blessure profonde, grande source d'anxiété. Moi qui aimais tant l'eau, je me suis tenue loin des rivières et des lacs, de l'eau vive après ce jour noir que fut le 24 juillet 2002.

J'ai surtout traîné pendant tout ce temps un lourd sentiment de culpabilité qui m'a rongée et qui a alimenté mon anxiété. Est-ce que j'aurais pu plonger pour sauver Raphaël ? Est-ce que j'ai erré en l'emmenant en randonnée en canot sur cette rivière ?

C'est pour lui, Raphaël, pour cet enfant qui ne m'a jamais vraiment quittée que j'ai accepté de plonger de nouveau du tremplin de trois mètres, le 21 octobre 2018.

C'est Lisette (Lili) Marcotte, la réalisatrice d'un documentaire destiné à prévenir les noyades et à honorer la mémoire de Raphaël, qui m'a lancé l'idée. Retourner sur un tremplin, 34 ans plus tard, était un défi que je n'avais jamais envisagé, surtout pas à 54 ans, même si je suis en bonne forme physique. Le faire devant une caméra, par surcroît, sachant que des centaines de milliers de personnes me verraient ? Je lui ai demandé quelques semaines de réflexion avant de finalement lui confirmer que j'étais partante pour ce plongeon – je ne savais trop quelle figure, au fait.

Je ne fais rien à moitié. Quand je m'engage dans un projet, je m'y donne à fond. C'est probablement un trait commun à tous les ex-athlètes olympiques. J'ai donc contacté au printemps 2018 mon entraîneur de l'époque, Donald Dion, et l'ai invité à manger pour lui demander s'il acceptait de « sortir de sa retraite » pour me « sortir de la mienne » quelques mois. Comme je m'y attendais, il a pouffé de rire, croyant que je plaisantais. Décidément, la confiance régnait !

Quelques semaines plus tard, nous nous sommes tout de même retrouvés sur le bord de la piscine du Complexe sportif Claude-Robillard, là où j'avais élu domicile pendant les 18 mois qui ont précédé les Jeux de Los Angeles. En sortant du vestiaire, humant l'odeur du chlore, j'ai pensé avec émotion à tout ce que j'ai vécu dans ce lieu au temps de mes 20 ans. Je suis fascinée par cette mémoire des sens qui nous ramène tellement loin dans nos souvenirs. Je ne suis pas la première ! Après tout, l'écrivain Marcel Proust n'en a-t-il pas fait le cœur de son œuvre ? Il suffit d'une odeur pour réveiller des sensations qui datent.

L'odeur, les sons et les images m'ont replongée en 1982, lorsque j'ai déménagé de Sainte-Foy à Montréal. Mes vieilles habitudes revenaient peu à peu, comme si je n'avais jamais quitté la piscine. J'ai marché jusqu'aux trampolines de l'autre côté du bassin de plongeon et j'ai entrepris mon échauffement, exactement comme je le faisais il y a 34 ans.

Je me suis aussi imposé quelques minutes de corde à sauter avec la même vieille corde qu'auparavant, que j'ai gardée en souvenir dans ma garde-robe. Donald était déjà là, le sourire aux lèvres, prêt à me « coacher » et à me permettre de plonger pour Raphaël. Il n'y a personne d'autre que lui, mon neveu que j'aimais tant, mon neveu mort si tragiquement, mon neveu que je porterai en moi à jamais, qui m'aurait donné le courage de plonger à nouveau.

J'avais beau être animée par toute la détermination du monde, il me fallait aussi guérir cette vieille blessure à l'épaule qui me faisait craindre de ne pas y arriver. À partir du mois de mai, j'ai accéléré les exercices de rééducation et me suis fait traiter trois fois par semaine. Peu à peu, je retrouvais mes réflexes d'athlète. Il faut dire que le mot entraînement avait disparu de mon vocabulaire depuis belle lurette.

Passionnée de plein air et de sport, j'ai toujours bien pris soin de moi et j'ai toujours maintenu une bonne forme, mais… le mot plaisir prend toute la place et non la performance. Ce n'est pas par hasard que je travaille depuis tant d'années à promouvoir les saines habitudes de vie. J'ai toujours pensé que nous naissons avec un merveilleux véhicule et que nous avons la responsabilité de bien l'entretenir, puisque nous n'en aurons qu'un seul pour la vie. Nous prenons généralement davantage soin de notre voiture que de nous-même, malheureusement. (Je ne m'étendrai pas plus longtemps sur le sujet puisqu'un livre au complet ne serait pas suffisant pour parler de ma passion pour les saines habitudes de vie.)

Dans l'espoir d'en arriver à atteindre le niveau que je souhaitais sur le tremplin après tant d'années, je mangeais encore plus sainement, je continuais religieusement mes sessions de yoga et je recommençais à faire des exercices très spécifiques au plongeon, des mouvements que je n'avais pas refaits depuis trois décennies. Donald a joué le jeu jusqu'au bout, allant même jusqu'à fouiller dans ses boîtes pour retrouver ses notes d'entraînement.

Une fois mes muscles bien réchauffés, lors du premier entraînement, j'ai sorti mon chamois (ce qui sert de serviette aux plongeurs) de mon sac, l'ai lancé dans la piscine, comme dans le bon vieux temps. Je suis montée sur le tremplin d'un mètre, j'ai tourné la roulette pour enlever de la flexibilité au tremplin, geste routinier que j'ai fait si souvent. Pendant quelques secondes, pourtant, je ne savais plus dans quel sens tourner cette roulette. Ça m'est vite revenu. J'ai marché d'un pas craintif jusqu'au bout comme pour mieux évaluer la hauteur. J'ai regardé Donald et lui ai demandé : « Je commence par quoi ? » Je me sentais démunie comme une jeune qui monte sur le tremplin pour la première fois et qui ne sait trop quoi faire de son corps. J'ai risqué quelques sauts du bout du tremplin, avant de plonger comme je l'ai fait des milliers de fois.

J'ai senti une grande émotion dès cette première séance à la piscine. Malgré mes craintes de me blesser qui persistaient, j'ai éprouvé de nouveau, très rapidement, ce sentiment de voler, ce sentiment de liberté qui s'empare de nous quand on parvient à faire des mouvements avec son corps avant d'attacher fermement ses mains au-dessus de sa tête, les coudes bien tendus et collés sur les oreilles, pour se préparer à l'entrée à l'eau.

Je portais un maillot identique à celui que j'enfilais du temps où le plongeon occupait l'essentiel de ma vie, grâce à Émilie Heymans, ex-plongeuse, quadruple médaillée olympique, qui fait désormais carrière dans la mode et qui a lancé sa collection de maillots de bain.

Jusqu'à l'âge de 20 ans, ma créativité se manifestait à travers le plongeon. Je m'exprimais par le mouvement. J'étais très timide et avais peu de confiance en moi ailleurs qu'à la piscine. Sitôt que je me retrouvais sur un tremplin, je devenais forte, grande et fière. J'ai été attirée par le plongeon en voyant des jeunes virevolter dans les airs. Cette liberté et la capacité de faire tous ces mouvements en une fraction de seconde me fascinaient. Lorsque le tremplin vous propulse à trois mètres de hauteur grâce à des milliers d'heures d'entraînement et que vous avez l'impression de contrôler chaque expression de votre corps, une grande émotion vous anime. C'est ce qui m'a toujours fait vibrer jusqu'à la toute fin de ma carrière, jusqu'à ma dernière figure à Los Angeles.

À l'été 2018, j'en rêvais, mais j'étais encore très loin de cette propulsion à trois mètres au-dessus du tremplin. Je n'osais pas faire un simple plongeon arrière, car j'avais perdu mes repères, mes « patrons moteurs » comme on dit dans notre jargon. Il aura fallu sept séances d'une heure avec mon entraîneur avant la date fatidique. J'étais tellement courbaturée après la première séance sur le tremplin ! Je redécouvrais tous ces petits muscles que je n'avais pas utilisés pendant toutes ces années. Il m'était impossible de faire plus d'une dizaine de plongeons par séance parce que mes épaules et mes muscles abdominaux criaient de douleur. Le 21 octobre, c'était la date de tournage du plongeon pour le documentaire. Après la troisième session d'entraînement, j'ai confirmé à Lili, la réalisatrice, que j'allais être capable de faire une figure, un plongeon arrière carpé du tremplin de trois mètres. Un « 201B », qui était ma deuxième figure exécutée aux Jeux olympiques de Los Angeles. Pendant des semaines, j'ai visualisé cette figure pour la refaire le mieux possible.

Je l'ai répété souvent : c'est grâce à la visualisation que je suis devenue championne olympique. C'est ce qui a eu un effet décisif. Donald était présent à chacun de mes entraînements, de plus en plus heureux de participer à cette aventure. Mes trois filles, qui n'avaient jamais eu l'occasion de me voir plonger, sont venues tour à tour à la piscine, elles aussi. Pour m'encourager, bien entendu. Mais aussi pour rire un peu et me taquiner affectueusement.

Le 21 octobre, j'ai donc plongé pour Raphaël. J'ai plongé comme je suis capable de le faire. J'ai vécu un moment inoubliable, entourée de gens que j'aime. J'ai vu sourire Donald, comme rarement je l'avais vu sourire. À ma sortie de la piscine, il m'a lancé un vibrant « Excellent ! », ce qu'il ne m'avait jamais dit jusqu'aux Jeux olympiques de 1984. Il était un entraîneur très exigeant, et c'est la raison pour laquelle, en 1982, je l'ai choisi pour qu'il soit mon coach jusqu'aux Jeux.

La marche était haute pour réussir à bien plonger et accepter d'être filmée pour ce documentaire. Comme à Los Angeles, je sais que ce 21 octobre 2018, je n'aurais pas pu réussir mon « 201B » mieux que je l'ai fait. J'avais même pris l'initiative d'écrire à Bernard Brault, « le » photographe des athlètes, pour qu'il soit présent à la piscine avec ses appareils et ses lentilles. Chaque fois que je le croisais à des Jeux olympiques, je lui disais qu'un regret que j'avais de « mon époque » était l'absence de souvenirs, de photos sur le bord de la piscine ou avec mon entraîneur. Je n'ai que quelques photos en action prises pendant mes compétitions. « Mon époque »… Je me sens comme une vieille athlète en écrivant ces mots, mais il faut tout de même admettre que, dans les années 1980, nous n'en étions encore qu'aux débuts de l'olympisme au Québec. Aux Jeux de Los Angeles, j'ai été la première Québécoise à remporter une médaille d'or olympique. Aucun photographe ne nous suivait pour immortaliser ces moments si précieux.

Les plus jeunes, qui sont nés avec les réseaux sociaux, auront du mal à le croire. C'est pourtant la vérité.

Alors, 34 ans plus tard, j'ai écrit à Bernard pour lui demander s'il acceptait de se prêter au jeu. Ce ne serait jamais comme à Los Angeles, mais j'étais prête à assumer ce que j'allais voir sur ces photos. Je voulais des souvenirs avec Donald. Merci, Bernard ! La pointe de pieds, la hauteur, la musculature, il manque un peu de « finition », comme dirait l'impitoyable Donald. Mais j'ai tout de même été émue en voyant tes photos.

Je répète souvent à mes enfants que « tout est possible » lorsqu'on y met sa passion et son âme. J'ai remis mon chamois et ma corde à danser dans mon sac et ils ont retrouvé leur place dans ma garde-robe. Je retournais à la retraite avec le sentiment du devoir accompli.

Quelques jours plus tard, je suis retournée au cimetière Parc commémoratif La Souvenance, à Québec, là où Raphaël est enterré. Je n'y étais jamais retournée depuis la journée des funérailles, en juillet 2002. De nombreuses fois, j'ai pensé m'y arrêter pour le saluer, mais je n'étais pas prête.

Cette fois-là était la bonne. Merci, Raphaël, de m'avoir accompagnée pendant toutes ces années et surtout pendant l'année 2018, année de ma guérison.

Ce plongeon des derniers jours fut en quelque sorte pour moi un nouveau départ.

CHAPITRE 1

« Eau secours » ou un cauchemar éveillé

MERCREDI 24 JUILLET 2002. NOUS EN SOMMES À NOS DERNIÈRES journées de vacances estivales. Des vacances en famille, comme je les aime. Des vacances de plein air, au milieu de paysages éblouissants : voilà ce qui, pour moi, représente l'image même du bonheur, la quintessence de la joie de vivre. D'été en été, nous nous offrons ce privilège. L'été d'avant, nous avons opté pour les splendeurs des Îles-de-la-Madeleine. Cet été-là, nous avons convenu de visiter la Gaspésie. Tout mon clan élargi y est, une fois de plus : mon conjoint, Gilles, mes filles, Catherine, dix ans, Annabelle, neuf ans, et Florence, six ans, de même que mon frère Jean-François, ma belle-sœur France et leurs deux fils, Antoine, sept ans, et Raphaël, cinq ans. Les Îles-de-la-Madeleine, l'été auparavant, c'était aussi avec tout ce beau monde.

La semaine précédente, nous avons campé au parc Forillon. Nous terminons notre tour de la Gaspésie par un arrêt de quelques jours dans la Baie-des-Chaleurs, plus précisément à la ZEC (zone d'exploitation contrôlée) de la rivière Nouvelle, située près de Maria. Je suis l'invitée d'honneur pour un souper-bénéfice qui aura lieu le 27 juillet au profit de la rivière à saumon. Gilles et moi, amateurs de plein air, avons découvert la pêche au saumon lors d'un séjour sur la Côte-Nord quelques années auparavant. J'en ai parlé lors d'une entrevue télévisée et l'invitation pour la Gaspésie m'a été lancée peu de temps après, à l'hiver 2001.

Or nos plans pour l'été 2001 étaient déjà arrêtés. Nous irions aux Îles-de-la-Madeleine avec France, Jean-François et les cousins. Les Gaspésiens m'ont donc relancée en janvier 2002 et le tout s'est concrétisé pour l'été suivant. Le directeur de la ZEC nous a accueillis au chalet principal, qui servait aussi de lieu d'enregistrement pour le camping, pour les permis de pêche au saumon ainsi que pour la location de kayak et canot. Un détail qui m'échappait alors, mais qui a pris tout son sens plus tard : ces deux dernières activités étaient offertes sur ce site pour la première fois, cette année-là.

En ce 24 juillet, le soleil brille de tous ses feux sur la rivière Nouvelle. Il fait chaud. Les enfants sont heureux et insouciants, tout excités à l'idée de faire une randonnée en canot en rivière, leur première. Ils ont soif de grande aventure et de découvertes, ils ne tiennent plus en place.

Après le déjeuner dans la tente-roulotte, nous descendons sur le bord de la rivière avec les enfants. Ces derniers s'y trempent les pieds pour se rafraîchir. Peu profonde, l'eau est d'une clarté absolue.

J'ai toujours été passionnée par la nature, la forêt et l'eau sous toutes ses formes. La Gaspésie est magnifique pour les amateurs de plein air comme moi. Je me sens privilégiée de pouvoir partager ces beaux moments avec les gens qui me sont le plus précieux. À titre de personnalité publique, je suis fréquemment sollicitée pour des campagnes de collecte de fonds. Quand il est possible de faire participer ma famille, je m'en réjouis d'autant plus. Et il y a d'ailleurs plus de chances que j'accepte l'invitation. C'était le cas quand mes filles étaient plus jeunes. Pourquoi ne pas joindre l'utile à l'agréable ?

Vers 13 h, les organisateurs de l'activité terminent l'installation des canots sur les remorques. Les enfants ont mangé et nous sommes prêts à partir en voiture pour nous rendre à notre point de départ, un peu plus en amont sur la rivière. Les cousins et cousines sont très excités sur les sièges arrière, en route pour un autre bel après-midi de vacances.

La météo est parfaite. L'eau est translucide et peu profonde. Nous avons tous déjà fait du canot sur un lac. Il n'y a qu'un faible courant à l'endroit où nous avons mis les embarcations à l'eau, ce qui contribue à nous laisser croire que nous ferons une petite randonnée bien peinarde. Les vestes de flottaison sont bien ajustées et trois guides nous accompagnent pour cette randonnée. Tout contribue à nous donner un sentiment de sécurité. Ce n'est que du bonheur en perspective.

Nous sommes donc prêts pour une belle excursion en famille, avec cinq enfants de moins de dix ans.

On vérifie une dernière fois les sangles des vestes de flottaison des enfants. Antoine et Raphaël prennent place dans un canot avec leurs parents, France et Jean-François. On leur a réservé la plus grande embarcation, celle qui peut asseoir quatre personnes. Un des guides installe deux petits bancs verts utilisés habituellement par les pêcheurs, non fixés au canot. On y assoit Raphaël et Antoine, au centre de l'embarcation. France a un peu tiqué en voyant cette installation, mais...

Annabelle embarque avec Gilles et moi, Florence sera avec le directeur de la ZEC, et Catherine prendra place dans le canot de tête avec un des guides. Une troisième guide nous suivra en queue.

Nous partons enfin et tout se déroule très bien. On s'aperçoit tout de même, peu après le départ, que les conditions de navigation de cette rivière à saumon varient beaucoup selon les portions que nous empruntons. Sinuosité, débit, profondeur : ça change rapidement.

Certaines courbes sont accentuées, mais nous réussissons à les négocier tant bien que mal et ensuite la rivière redevient très calme et droite. Ces portions plus douces nous permettent d'apprécier la nature – qui est du reste magnifique – puisque nous n'avons pas besoin de pagayer. Il suffit de se laisser dériver. Les enfants en profitent pour s'arroser d'un bateau à l'autre.

À mi-chemin, on s'arrête pour prendre une collation sur la berge, près d'un pont.

On repart ensuite pour la dernière portion de la rivière. C'est une descente de calibre R1, soit parmi les plus faciles au Québec, mais elle a ses particularités, comme toutes les rivières à saumon. À un certain endroit, l'eau est tellement basse qu'on doit sortir de nos canots puisqu'on touche le fond. On ne pouvait plus avancer.

À un autre moment, on nous propose de marcher sur des galets plutôt que de suivre la courbe très accentuée de la rivière, ce que nous faisons tous. On marche une centaine de pieds sur les galets en portage et remet le canot à l'eau à l'extrémité de la courbe.

Ça fait plus de deux heures qu'on pagaie et nous commençons à ressentir une certaine fatigue. Mais il reste à peine 1,5 km avant d'arriver au camping. Il est 16 h, l'heure de l'apéro approche et les enfants pourront jouer en attendant le souper. Tout est parfait. Les enfants sont heureux et comme tout parent, nous savourons ces moments précieux. La perfection de ce moment, cette photo dans le temps restera gravée dans mon cœur jusqu'à mon dernier souffle. Il fait encore chaud et la lumière oblique du soleil de fin de journée passe à travers les arbres pour se refléter sur la rivière. Le décor est enchanteur.

Gilles et moi chavirons en frappant une branche d'arbre : à cet endroit, la rivière est plus étroite, sinueuse, mais peu profonde (moins d'un mètre). On considère cet incident comme sans gravité compte tenu du bas niveau de l'eau et étant donné que les enfants portent des veste de flottaison. Nous sommes convaincus que le pire qui puisse arriver est de chavirer et de rembarquer dans le canot comme nous venons de le faire. Pour nous, c'est tout au plus une occasion de nous rafraîchir. Un des guides nous mentionne que la rivière est plus haute qu'à l'habitude. Je ne pensais pas que ce commentaire avait une quelconque importance pour nous. On commence quand même à négocier les tournants avec plus d'attention, cherchant la façon de s'en tirer sans chavirer de nouveau.

Raphaël rit de nous et veut même venir dans notre canot parce qu'on est « cool » d'avoir chaviré. Pour lui, c'est l'imprévu, l'aventure, des choses dont il raffolait. Il décide finalement de rester avec ses parents et Antoine, mais Annabelle ne veut plus demeurer avec nous. « Pas question de rester avec mes parents qui m'ont détrempée », dit-elle. Autre changement de passagère : Florence vient nous rejoindre et Annabelle poursuit la randonnée avec le directeur de la ZEC.

La rivière est de plus en plus sinueuse, sommes-nous plus fatigués ou est-elle plus difficile ? Gilles et moi faisons un 360 degrés, dans une portion plus large de la rivière. Le stress commence à monter et le ton entre nous deux aussi. « Pagaie plus vite, non à gauche ! » La rivière se divise en deux veines d'eau qui coule de part et d'autre d'une île au centre. La veine de gauche est plus profonde (2 à 3 m) et celle de droite n'a que quelques dizaines de centimètres de profondeur (environ 40 à 50 cm), mais demeure navigable. Aucune pancarte n'indique le chemin à prendre ou la présence d'un danger. Je suis assise à l'avant du canot et j'essaie tant bien que mal de suivre du regard notre guide qui est loin en avant. Trop loin en avant ! Il est allé dans la veine gauche, mais quelle trajectoire a-t-il empruntée dans cette courbe à 90 degrés ? Est-ce qu'il reste plus du côté droit de la rivière dans cette courbe ? Comment fait-il pour manœuvrer ainsi ? Il est souvent debout dans son canot. La rivière est de plus en plus sinueuse et il me semble que le courant est de plus en plus fort. Gilles me demande d'un ton ferme de pagayer plus fort pour nous éloigner des morceaux de bois à notre gauche vers lesquels nous pousse le courant. Il n'y a personne en avant ou derrière pour donner des directives. On réussit à s'en éloigner je ne sais trop comment et à sortir de ce tournant. Le courant dans cette portion de la rivière est devenu plus rapide et l'eau est plus profonde. On reprend notre souffle, on se dit qu'il est temps qu'on arrive au camping.

Jean-François et France nous suivent, ils n'ont pas vu la direction que nous avons prise pour éviter l'amoncellement de branches et d'arbres qui s'étaient décrochés de la rive. Le courant est fort et les entraîne directement sur l'embâcle, qu'ils frappent du côté gauche. Ils chavirent et la force du courant emporte le canot directement au fond de la rivière sous un peu plus de deux mètres d'eau, le coinçant sous l'embâcle, avec les deux enfants.

C'est à ce moment-là que j'entends derrière nous les cris de ma belle-sœur France. « Au secours ! Au secours ! » Ces cris de détresse et de désarroi resteront à jamais gravés dans ma mémoire. Elle crie d'une voix désespérée « Antoine ! Raphaël ! » Tout se passe tellement vite.

Elle et Jean-François, je m'en souviens, étaient dans l'eau et cherchaient les enfants. Jean-François a crié : « J'ai Antoine ! » L'enfant est réapparu après quelques secondes sous l'eau. Probablement qu'il était resté coincé et a réussi à se déprendre. Raphaël ! Raphaël ! Il manque Raphaël. Où est Raphaël ? Ils ont vu un des bancs en bois surgir de la rivière, mais aucun signe de Raphaël. Comment se fait-il que Raphaël ne remonte pas avec sa veste ? Il a pourtant sa veste, il sait bien nager.

Gilles et moi nous dirigeons immédiatement vers la droite, en pagayant vers la rive, là où il y a un grand espace pour marcher sur des galets. Pendant qu'on tire le canot au sec à bout de bras le plus rapidement possible et qu'on dépose Florence en sécurité, sans réfléchir, je me lance à l'eau à contre-courant pour remonter et traverser la rivière afin de rejoindre France, Jean-François et Antoine sur l'embâcle. Ce même embâcle qui vient de faire chavirer leur embarcation. En grimpant sur les morceaux de bois, j'aperçois le canot au fond de l'eau. Tout se passe tellement vite. J'essaye de voir si mes enfants sont en sécurité. On vient de déposer Florence, est-ce qu'il y a quelqu'un avec elle sur les galets? Où est Annabelle? Catherine doit être plus loin sur la rivière avec l'un des guides. Je vois Gilles dans l'eau qui a décidé de traverser et de me suivre à la nage. Il est accroché sur l'embâcle, dans l'eau, surpris par la force du courant. Il a de la difficulté à monter sur l'embâcle. Il est emporté par le courant et n'a plus de force pour résister. Je l'aide à sortir de l'eau en l'agrippant par sa veste.

Le directeur de la ZEC, qui était de l'autre côté de la rive, a déposé Annabelle aussi en sécurité et essaye ensuite de nous envoyer une corde. Elle ne se rend pas. Il traverse ensuite pour venir nous aider. Il tente de plonger pour atteindre le canot, mais le courant le déporte aussi. Pendant tout ce temps, je dois retenir France de toutes mes forces puisqu'elle veut se lancer à l'eau. Je ne veux pas qu'elle saute, c'est trop dangereux.

Les minutes qui suivent sont interminables. On ignore si Raphaël a été emporté par le courant ou s'il s'est empêtré dans les branches ou encore s'il est emprisonné dans le canot. Cette eau si translucide il y a quelques minutes est devenue noire et brouillée. Jean-François descend en s'agrippant à la corde qu'il a accrochée à l'embâcle, il essaye d'atteindre le canot avec ses pieds pour le faire bouger. Il est trop profondément immergé. Il essaye aussi de plonger en s'agrippant à la corde. Je vois sur son visage son désarroi face au courant. Ce courant qui ne paraît pas à la surface de l'eau. Tout se passe sous l'eau, cette force qui aspire et qui maintient le canot dans le fond. Le directeur de la ZEC nous rejoint et essaye aussi de plonger, sans succès, en maintenant une corde. Une corde et un seul « guide ». C'est tout ce qu'on a pour nous aider à sauver Raphaël. Le guide qui ne cesse de dire « je m'en veux, je m'en veux ». On a compris pourquoi plusieurs mois plus tard.

Lui, Gilles et Jean-François grimpent sur l'embâcle et tentent par tous les moyens de localiser Raphaël. Couchés sur le ventre, Jean-François et le directeur de la ZEC qui avait des lunettes polarisées regardent au fond de l'eau. Ils aperçoivent finalement le bras de Raphaël qui sort du canot entre des branches. Le canot repose en cloche (à la renverse), de biais, plaqué contre les branches de l'embâcle. Jean-François nous dit qu'il voit Raphaël, qu'il est prisonnier sous le canot qui est immergé à deux mètres de nous. Gilles et Jean-François essayent de libérer le canot par effet de levier avec un bout de bois. Ils essayent par tous les moyens de faire bouger le canot. En vain.

Un des guides vient chercher Antoine pour l'emmener à l'ambulance qui attend sur le bord de la route.

France crie la douleur d'une mère qui veut aller chercher son fils au fond de l'eau.

Nos filles sont de l'autre côté de la rive à quelques pieds de nous et sont témoins de la scène. Elles pleurent et on ne peut les consoler. Où sont les secours ? Est-ce qu'on a appelé le 911 ? Aucune idée.

Ça fait combien de temps qu'il est sous l'eau ? Comment faire pour faire décrocher le bateau ?

Ce n'est pas possible. Il y a le sentiment d'urgence d'agir, mais d'impuissance face à la force de l'eau.

C'est à ce moment-là que j'enlève ma veste de flottaison pour plonger afin d'aller chercher Raphaël sous l'eau. Il n'y a pas d'autres solutions à mes yeux. Il faut y aller, plonger maintenant. Sans réfléchir. Il est juste là, à quelques mètres de nous, je peux y aller.

Mon frère lève la tête et m'interdit formellement de plonger. En voyant la force du courant et la possibilité d'être entraîné et retenu sous les morceaux de bois, il m'attrape par les bretelles de mon maillot et me dit: «NON, tu n'y vas pas!» Il me dit: «C'est trop dangereux, je ne veux pas que d'autres mettent leur vie en danger. Tu pars avec France dans le bois, emmène-la loin d'ici. Pars avec France.» Elle veut aussi aller à l'eau. C'est un ordre.

Ce moment restera marqué dans ma mémoire toute ma vie.

Dans la forêt, nous sommes loin de tout secours. Dans mes souvenirs, la rivière est plus bruyante, le courant est fort et je me sens totalement impuissante devant cette force de la nature. Laissés à nous-mêmes pour essayer de décrocher un canot pris dans le fond de la rivière à deux mètres sous l'embâcle. Raphaël coincé dans le bateau. Dans l'eau, sans respirer. J'étouffe quand j'écris ces lignes.

Je prends France par la main pour nous éloigner du lieu du drame. Nous errons dans la forêt, sans trop savoir où nous allons. Pieds nus dans le bois. On pleure, on se regarde en se demandant si on n'est pas dans un cauchemar qui va bientôt prendre fin.

Au bout de je ne sais trop combien de temps de marche, nous apercevons des hommes qui courent en habit de pompier, on leur indique le chemin. J'ai complètement perdu la notion du temps et pourtant, chaque minute prend toute son importance. Nous sommes seules à errer dans le bois lorsque les enfants se mettent à crier. Les pompiers volontaires ont rejoint Jean-François et Gilles sur l'embâcle.

« Le canot, le canot. » Les enfants de l'autre côté de la rivière ont vu le canot se décrocher et remonter à la surface. Il descend dans le courant à l'envers. France et moi allons tout de suite sur la rive et on aperçoit le canot qui descend la rivière presque à notre niveau. On saute dans l'eau pour l'agripper et le ramener sur la rive. Un canot rempli d'eau à l'envers, je ne sais pas comment on a réussi à l'arrêter dans sa descente dans le courant et à le tirer. Un des guides arrive derrière nous pour nous aider à le retourner et à sortir Raphaël de là. Il est là. Son petit corps inanimé, tout froid.

France, sa mère, enlève sa veste et commence les manœuvres de réanimation. Il y a maintenant trois ou quatre personnes qui sont arrivées de je ne sais où. Je me retire donc de quelques pas pour pleurer en silence, pour prier.

Tout ce que j'entends, c'est France qui demande si elle fait les manœuvres correctement. Elle crie : « Est-ce qu'il y a quelqu'un qui peut m'aider ? Vous êtes qui, vous autres ? »

Je relève la tête et j'aperçois un zodiac s'approcher avec ce qui me semble être des ambulanciers. Ils s'approchent de nous et repartent avec Raphaël en nous laissant derrière, les deux pieds dans l'eau froide, dans cette rivière qui vient de nous voler cet enfant de cinq ans.

Tout ce qu'on veut, à ce moment, c'est retrouver la route le plus rapidement possible pour rejoindre l'ambulance qui conduira Raphaël à l'hôpital. On court dans le bois, et on se retrouve enfin sur une route.

(Je fais un aparté à ce moment-ci puisque, lorsque j'étais en train d'écrire ces lignes, le 16 septembre 2018 – 16 ans plus tard –, dans le parc national du Témiscouata dans le Bas-du-Fleuve, j'avais quelques rencontres avec des élus dans la région et nous en avons profité, Gilles et moi, pour aller faire de la randonnée en montagne pendant le week-end. Je viens de commencer la rédaction de ce récit et je cherche dans ma mémoire comment France et moi nous nous sommes rendues du bord de la route à l'hôpital. C'est le vide total dans ma tête. Je ne peux me souvenir de ce moment.

Pendant que j'étais dans mes pensées, assise sur la terrasse du chalet d'accueil avec mon ordinateur pour écrire ce récit, un couple de cyclistes est venu s'asseoir à la table juste à côté de moi. Distraitement, je les ai écoutés parler de la famille qui se trouvait en canot sur le lac Témiscouata juste devant nous. Ils s'exprimaient sur la beauté du paysage. J'ai levé les yeux de mon écran pour apprécier la vue, malgré le lien que je faisais avec ce que j'écrivais au même moment. Le canot, la famille, la beauté du décor…

Je ne sais pas pourquoi, mais je me suis retournée vers eux pour leur demander d'où ils venaient. Ils ont éclaté de rire en me disant qu'ils venaient de partout au Québec. Après quelques minutes de conversation, le mari, René, s'est penché pour mieux me voir et m'a dit qu'on s'était déjà rencontrés et que cette journée était certainement la pire de ma vie. Je lui ai dit spontanément : « Le 24 juillet 2002 ? » Il a hoché de la tête en signe d'assentiment. Anne-Marie, sa conjointe des dix dernières années, nous regardait incrédule, ne comprenant rien à cette conversation.

Je l'ai regardé droit dans les yeux en lui demandant de me raconter son histoire. « J'étais allé marcher tout près du pont, à proximité du camping de Nouvelle, lorsque vous êtes sorties de la forêt en criant et en pleurant. Je ne comprenais pas ce qui se passait et j'essayais de te questionner », me dit-il en me regardant. Il m'a expliqué que France est montée dans un *pick-up* blanc pendant que j'étais au téléphone. J'appelais ma sœur Suzanne pour lui expliquer ce qui venait de se passer. Je me souviens de cet appel. Il m'a confirmé que nous sommes partis pour l'hôpital avec cette personne qui était probablement un employé de la Ville. Il a appris le lendemain en lisant le journal le drame que nous venions de vivre à quelques minutes de son camping. Anne-Marie et moi étions rivées à ses lèvres lorsqu'il racontait son histoire comme si c'était hier. Le hasard a fait que cet homme s'est retrouvé sur ma route au moment où j'en avais le plus besoin, au moment où ma mémoire me faisait défaut. Ils sont repartis sur leur vélo pour achever leur 100 kilomètres et moi, je les ai regardés partir en me disant que parfois la vie nous envoie des signes pour nous rappeler de prendre le temps de relever la tête. J'aurais pu rester concentrée sur mon texte et passer à côté de cette belle rencontre.

De retour le 24 juillet 2002. Il est à peu près 18 h. France et moi marchons dans le corridor de l'urgence de l'hôpital de Maria, à 30 minutes de route de Nouvelle. Nos vêtements sont mouillés, nous sommes pieds nus. Jean-François, Gilles et les enfants arrivent quelques minutes plus tard. On met à notre disposition une pièce au bout du corridor. Nous sommes tous réunis pour la première fois depuis notre arrêt sur le bord du pont de fer. On pleure ensemble, sous le choc. On essaie de consoler les enfants, qui ne comprennent pas trop ce qui se passe. Le pédiatre de garde, le Dr Robineault, vient nous voir pour nous expliquer les manœuvres qui se déroulent de l'autre côté du mur qui nous sépare de Raphaël. On a espoir malgré le fait que nous sommes tous très conscients qu'il est resté longtemps sous l'eau très longtemps, beaucoup trop longtemps pour espérer qu'il survivra. Combien de temps ? Je n'en sais rien. Malgré notre côté rationnel, on espère que l'hypothermie engendrée par l'eau très froide de la rivière a pu conserver ses organes vitaux intacts. On rêve encore que lorsque l'équipe médicale à son chevet aura réussi à réchauffer son corps pour le sortir de cette hypothermie son petit cœur recommencera à battre très fort, très, très fort, comme il l'a toujours fait depuis sa naissance. Il sautera sur la table et viendra nous rejoindre de l'autre côté avec son sourire, sa voix de canard et ses ongles avec du vernis que les filles lui ont appliqué la veille puisqu'il voulait faire comme ses cousines. Oui, on rêve encore, malgré tout. C'est ce qui nous maintient encore en vie, la famille.

Pendant cette attente cruelle, Gilles retourne au camping pour nous chercher des vêtements et des souliers. Je vais me changer dans la salle de bain et je jette mes culottes courtes, mon chandail. Je veux tout jeter dans l'espoir qu'en me débarrassant de ces vêtements de malheur je vais exorciser le mauvais sort et qu'un miracle va se produire dans la salle de réanimation. Jean-François est couché sur une civière cachée par des rideaux. Je vais le voir. Tout ce qu'il me dit, c'est: « Dis-moi que ce n'est pas vrai, ce qui nous arrive. Ça ne se peut pas. Ça ne se peut pas. » J'aimerais tellement pouvoir lui dire de dormir et que tout sera parfait lorsqu'il se réveillera.

On attend pendant ce qui nous semble une période interminable. On parle peu. Chacun d'entre nous repasse les événements de la journée en essayant de comprendre ce qui s'est passé.

Vers 20 h, nous sommes tous réunis dans cette pièce. Le pédiatre entre pour nous annoncer qu'ils ont tout essayé pour le sauver, mais qu'il n'y a plus rien à faire. On s'enlace en pleurant toutes les larmes de notre corps. Ce n'est pas possible qu'il soit parti, pas possible.

Les parents demandent si on peut faire un don d'organes. Malheureusement, ce n'est pas possible étant donné que son cœur a cessé de battre depuis déjà plusieurs heures.

Le médecin nous conseille d'aller le voir une dernière fois pour bien vivre notre deuil. France, Jean-François et Antoine y vont en premier, les filles et moi y allons ensuite. Gilles refuse de le voir, voulant garder une image de lui vivant.

On le caresse pour une dernière fois, on sourit en regardant ses ongles vernis et on l'embrasse chacun notre tour. Lui qui ne tenait jamais en place plus que deux secondes, comment peut-il être aussi immobile sur cette table ? Antoine, son frère, regarde attentivement Raphaël et demande : « Mais qui va jouer avec moi maintenant ? »

C'est un cauchemar.

L'équipe médicale a été des plus empathiques et présentes pour nous tous. Je l'en remercie. Je suis retournée un an plus tard pour remercier le pédiatre, qui était toujours en poste à l'hôpital de Maria.

Jean-François et Antoine ont dormi dans une chambre à l'hôpital. France et moi sommes aussi restées à l'hôpital, puisqu'il était préférable qu'elle dorme sur place.

On nous a installés dans une chambre à l'étage pour nous assurer davantage de tranquillité. L'équipe médicale a été des plus attentionnées. On nous a offert un calmant pour nous aider à dormir.

Gilles et les trois filles sont retournés au camping de la ZEC pour la nuit.

Pendant que France se reposait, l'infirmière est venue me chercher pour répondre à un appel téléphonique. C'était la compagnie de services funéraires qui voulait savoir où elle devait récupérer le corps. J'étais dans un état second et j'ai essayé, mais répondre à cette question était au-delà de mes forces. Je ne savais pas quoi leur dire, il y a eu un grand silence sur la ligne. Je me suis tournée vers l'infirmière qui était au poste, en train d'écrire, et je lui ai demandé, les yeux pleins d'eau : « Où est Raphaël ? » Avec un regard rempli de compassion, elle m'a répondu qu'il était à la morgue de l'hôpital et que les services funéraires pourraient récupérer son petit corps le lendemain matin. C'était tellement irréel. Je suis retournée dans la chambre pour essayer de dormir quelques heures. Je ne pouvais m'empêcher de penser que les prochains jours, semaines, mois seraient éprouvants.

Le lendemain matin, Gilles est venu nous chercher, France, Jean-François, Antoine et moi, pour nous ramener au camping. Gilles avait déjà rangé la tente-roulotte et la tente pour que nous soyons prêts à prendre la route vers Québec. Mon frère a embarqué avec Gilles et les filles tandis que France, Antoine et moi étions conduits par un membre du conseil d'administration de la ZEC. Je n'étais pas en état de conduire. Nous fonctionnions comme des zombies. Les enfants tournaient autour de nous. La vie n'avait plus aucun sens. Je me souviens que dans la voiture, nous parlions d'un accident. Je leur ai demandé de maintenir l'événement prévu pour le vendredi soir et de le faire en l'honneur de Raphaël. J'ai même contacté le directeur de la ZEC pour savoir comment il allait, je savais que sa femme devait donner naissance à leur deuxième enfant à la fin du mois.

Raphaël, cinq ans et demi, est mort noyé dans la rivière Nouvelle par un bel après-midi d'été. Ce courant qui l'a poussé vers l'embâcle, a renversé son canot, l'a fait couler puis l'a maintenu au fond de la rivière était trop fort pour lui, malgré sa veste de sauvetage. Il n'a jamais pu s'extirper du canot. On ne saura jamais exactement ce qui l'a empêché de sortir du canot : le courant, un vêtement accroché à quelque chose ? L'embâcle nous a tous surpris et notre vie a basculé en l'espace de quelques minutes. L'expression « on ne tient qu'à un fil » a pris tout son sens.

Le deuil fut long et pénible pour toute la famille, et particulièrement pour ses parents et son frère, Antoine.

J'écris ce récit plus de 16 ans plus tard. Au sortir de l'enquête du coroner au printemps 2004, nous voulions tous honorer la mémoire de Raphaël, mais la peine était trop grande à ce moment-là pour entrevoir la création d'un Fonds Raphaël-Bernier.

L'idée a germé, nous avons cheminé et sommes prêts à créer ce Fonds Raphaël-Bernier pour initier tous les enfants du Québec à la natation grâce au programme *Nager pour survivre*.

Ce récit narratif est un hommage à la vie de Raphaël.

On est revenus de vacances sans lui. La scène est d'une tristesse sans nom. Il y a un siège d'appoint vide sur la banquette arrière de la camionnette de France. La vue de la bicyclette de Raphaël sur le toit de l'auto me crève le cœur. La vie n'a plus de sens.

Le frère de France est venu nous rejoindre à Rimouski pour conduire le reste du trajet jusqu'à Québec. Le regard des gens qui se posent les mêmes questions que nous commence à se manifester à ce moment-là. Qu'est-ce qui s'est passé ? Où étiez-vous ? Que faisiez-vous sur cette rivière ?

Nous sommes allés chez les parents de France en arrivant à Québec. France est une amie d'enfance. Nous avons toutes deux étudié au Collège Jésus-Marie ensemble et je connais ses parents depuis que je suis toute jeune. Nous avons grandi dans le même quartier de Saint-Louis-de-France à Sainte-Foy. Les funérailles étaient prévues pour le samedi 27 juillet, le jour du 7e anniversaire de Florence. Les choses les plus banales, comme penser aux vêtements que nous allions porter, sont devenues une montagne. France et Jean-François habitaient en Estrie, Gilles et moi à Rosemère. Nous étions sur la route depuis trois semaines sans vêtements adéquats pour assister à des funérailles.

Nous sommes parties toutes les deux chez Simons pour magasiner. Encore une fois, plus rien n'avait de sens, surtout pas magasiner. On s'est acheté le même tailleur de couleur différente et on est rapidement parties.

Je suis allée faire développer les dernières photos prises avant l'accident. C'était avant l'ère du numérique. Je me souviens très bien de m'être assise sur un banc de parc tout près du magasin et d'avoir regardé chacune des photos des enfants en pleurant comme un bébé. J'ai toujours pris beaucoup de photos, au grand dam de plusieurs, mais cette journée-là, j'étais tellement heureuse d'avoir tous ces clichés de Raphaël. Ce sont nos souvenirs à tout jamais.

Je sentais dans le regard des gens les questionnements. La culpabilité a tranquillement pris sa place, de façon très subtile et sournoise. Cette culpabilité et le sentiment de responsabilité par rapport à l'accident allaient prendre un jour beaucoup de place dans ma vie sans que je sache l'exprimer clairement. La culpabilité d'avoir emmené ma famille à la ZEC, d'abord. Si j'avais refusé l'invitation, nous aurions poursuivi notre chemin jusqu'à Québec. Nous ne serions pas allés en canot sur cette rivière. Je ne comprenais pas ce qui était arrivé.

Il y avait beaucoup de monde aux funérailles, l'église de Saint-Louis-de-France était remplie. Je me souviens de peu de choses de ces jours qui ont suivi le décès de Raphaël. Je voulais bien répondre aux questions de tout le monde, mais nous-mêmes, nous ne comprenions pas ce qui s'était passé. J'avais tellement de questions et si peu de réponses.

Je repense à mes parents, à la peine qui se lisait dans leur regard. Les yeux hagards au salon funéraire, assis sur une chaise, ils étaient dévastés. Je sentais qu'ils avaient tellement de questions à nous poser, mais qu'ils en étaient incapables. Leur douleur les laissait sans mot.

J'essayais de me convaincre : il fallait continuer d'avancer. Catherine, Annabelle et Florence avaient besoin de nous. Je me rappelais qu'il me fallait être forte pour la famille et les enfants. Encore une fois, cette armure qui me protège et m'étouffe en même temps. J'avais la cage thoracique qui se comprimait en moi.

Au service funéraire, j'ai lu la lettre suivante, écrite par mon mari :

Mon beau Raphadou,

Ton passage parmi nous a été comme celui d'une étoile filante, tu as éclairé notre vie de tous tes feux, tu nous as émerveillés par ton esprit si vif. Tu nous as charmés avec ton sourire si grand que ton visage arrivait à peine à le contenir et tu nous as attendris sans difficulté avec ta voix de jeune canard.

Puis, tu es disparu si soudainement en nous laissant suspendus à tous ces beaux moments, ces belles images que chacun d'entre nous va garder précieusement jusqu'à ce que nous ayons la chance d'aller te rejoindre.

On espère que tu seras gentil avec les anges et que tu seras plus docile lorsqu'ils te demanderont d'aller à la toilette! (Il n'avait pas le temps d'aller à la toilette.)

L'amour que nous avons pour toi n'a d'égal que la douleur de ne pouvoir te le témoigner en personne. Prends soin de toi et on envie les anges qui ont le bonheur d'être avec toi.

Tu nous manqueras beaucoup, mais on va s'encourager à continuer en se disant que pour toi, il n'y avait que le côté amusant de la vie qui était intéressant.

On t'aime, on te serre très fort et on te pince une fesse en te souhaitant une belle vie là-haut avec plein d'arbres pour y grimper.

On t'embrasse

xxx

Dans les semaines qui ont suivi l'accident, avant la rentrée scolaire, nous avons vu France et Jean-François régulièrement. On allait à Sherbrooke, ils venaient à Rosemère. On avait un besoin de parler, d'être ensemble, et d'essayer de comprendre. Mon frère et France ont tous les deux été sauveteurs pendant leurs études universitaires. Est-ce que nous avons failli à analyser les pièges de cette rivière ? Avions-nous les aptitudes pour canoter sur cette rivière ? Avons-nous baissé notre garde ?

Nous avons décidé d'appeler au bureau du coroner pour le convaincre d'ouvrir une enquête. Nous avions le sentiment que quelque chose clochait. Mais quoi, au juste ? Nous l'ignorions.

Chaque fois que je les voyais, mon sentiment de culpabilité augmentait. Je ne suis pas la mère de Raphaël, ma vie continue à la maison avec mes filles. Pour eux, il y a un vide énorme. Raphaël devait entrer à la maternelle en septembre. Lui qui avait tellement hâte de suivre son grand frère à l'école.

Depuis au moins trois ans, France et moi partions tous les étés. Nous avons pratiquement sillonné le Québec : Saguenay, Saint-Siméon, parc du Bic, Bas-Saint-Laurent,

Îles-de-la-Madeleine... Gilles et Jean-François venaient nous rejoindre lorsqu'ils le pouvaient quelques jours ou une semaine plus tard. On s'arrangeait très bien avec la tente-roulotte, les vélos et le kayak de mer sur le toit. C'était le bonheur.

Nos enfants, cousins et cousines, étaient heureux de passer les vacances estivales ensemble. Raphaël et Antoine les appelaient « les cousines » lorsqu'ils parlaient de mes filles. Le drame du 24 juillet 2002 a sonné la fin de cette tradition estivale. Quelque chose s'est brisé en moi. Le sentiment de culpabilité et de responsabilité m'a enlevé toute ma spontanéité et l'envie que j'avais depuis toujours d'organiser pour la famille et les amis des activités de plein air ou autres. Ce n'est que 16 ans plus tard que j'ai compris l'ampleur de ce changement dans ma vie. Les étés qui ont suivi, nous avons voyagé à l'extérieur du Québec avec nos filles. Nous avons vendu notre tente-roulotte quelques années plus tard puisque nous ne l'utilisions plus. J'ai donné le kayak de mer à une amie et cessé la majorité de mes activités aquatiques.

CHAPITRE 2

Ibiza : la main tendue d'une amie

QUELQUES HEURES AVANT LA FUNESTE RANDONNÉE EN CANOT, j'avais voulu prendre mes courriels depuis mon ordinateur portable. Je suis allée au poste d'accueil du camping pour faire le branchement par la ligne téléphonique. Il fallait être patient puisque l'internet n'était pas disponible comme aujourd'hui. Je me suis branchée et en cliquant sur le premier message courriel, de magnifiques photos d'une mer turquoise ont pris toute la place sur mon écran.

C'est mon amie Yolaine, avec qui j'avais repris contact depuis quelques mois, qui m'avait envoyé ces photos.

Dans les années 1980, elle tenait boutique sur l'avenue du Parc à Montréal. La boutique Elfe, spécialisée dans la location de robes de soirée, était devenue en quelque sorte ma garde-robe « temporaire ». À mon retour des Jeux olympiques de Los Angeles en 1984, mon emploi du temps s'est rempli de réceptions et de galas un peu partout au pays. Ma garde-robe de plongeuse se limitait à trois paires de jeans, quelques T-shirts, une trentaine de maillots de bain et deux paires d'espadrilles. Inutile de vous dire que ces vêtements ne convenaient plus à ma nouvelle vie d'athlète olympique retraitée. Oui, oui, retraitée à 20 ans, c'est le bon mot, et j'ai dû l'apprivoiser comme un nouvel ami puisque du jour au lendemain, je ne suis plus retournée à la piscine. Mon maillot est resté accroché dans la salle de bain, et certains matins, j'avais l'impression qu'il me regardait en me demandant si j'allais l'enfiler comme tous les autres matins depuis 13 ans. Oui, mes repères de plongeuse ont disparu.

Un plongeon dans le vide s'amorçait, un vrai plongeon dans une autre vie, celle de ma vie publique.

C'est à ce moment-là que Yolaine est entrée dans ma vie. Elle avait une bonne écoute et me prodiguait de bons conseils pour me guider dans ma nouvelle vie tout en facilitant la portion que j'aimais le moins.

Elle me « costumait », comme je m'amusais à le lui rappeler. Je m'installais debout dans la salle d'essayage et elle choisissait pour moi les robes avec le moins de « froufrous ». Je n'étais pas la plus facile à habiller, maquiller ou coiffer. Les gens qui me maquillaient à l'époque m'en parlent encore aujourd'hui. Je m'assoyais sur leur chaise avec une fesse sur le bord, déjà prête à me relever le plus rapidement possible. Deux coups de pinceau et je m'entendais leur dire : « C'est trop, beaucoup trop, enlève du fond de teint ! » Ils m'appuyaient doucement la tête avec leurs mains de magicien sur l'appui-tête en m'invitant à relaxer. J'en ris aujourd'hui en leur disant… « rajoutes-en un peu sur les cernes » !

Yolaine a quitté le Québec en 1996 et vit depuis en Europe, à Ibiza, en Espagne, où elle travaille. Je l'ai revue dans un café au printemps 2002 alors qu'elle était de passage dans sa famille, à Montréal. Son courriel du 24 juillet 2002 était un suivi de notre rencontre avec un simple mot. « Si un jour, tu as le goût ou le temps de venir me voir, voici où j'habite. » J'ai cliqué sur le lien de photos et les images qui sont alors apparues sur mon écran m'ont fait rêver. C'est magnifique. La mer est verte, le paysage, à couper le souffle. J'ai souri en me disant qu'un jour, peut-être, j'irais la voir.

Cela demeurait un projet vague et lointain. Avec trois enfants de moins de dix ans et une vie professionnelle qui m'occupait beaucoup, je ne pouvais même pas m'imaginer partir pour l'Europe avant quelques années. « Lorsque tu passes par le Québec, appelle-moi, on a plus de chance de se voir de cette façon ! » lui ai-je répondu.

Septembre 2002. Un mois déjà s'est écoulé depuis la mort de Raphaël. Les filles sont de retour à l'école et je peux commencer mon deuil. Je m'effondre, littéralement. Impossible pour moi de retourner au travail. Depuis plus de dix ans, je faisais des chroniques famille à l'émission *Salut Bonjour*, au réseau TVA, avec Guy Mongrain. Comment retourner en ondes pour parler d'activités de plein air, du bonheur de faire du camping en famille, après ce que je venais de vivre ? Cela me semblait absurde.

Je ne pouvais même pas expliquer ce qui s'était passé en Gaspésie. Les gens n'osaient pas m'en parler puisqu'ils ressentaient un malaise en ma présence.

Je ne sortais plus de chez moi, je ne voulais parler à personne et, surtout, plus rien n'avait de sens à mes yeux. Gilles ne savait plus quoi faire pour m'aider à me relever. Moi qui suis de nature enjouée et souriante, je n'étais plus que l'ombre de moi-même. Je survivais, tout simplement.

Un jour où je m'enfonçais dans ce mal de vivre, j'ai ouvert mon ordinateur portable pour la première fois depuis le 24 juillet et les photos de Yolaine étaient toujours sur mon écran. Mon regard est resté rivé sur cette mer verte, cette même photo qui m'a fait sourire le matin du 24 juillet. Ça s'est décidé à cet instant précis, en quelques secondes : « Je pars. » Je m'en vais à cet endroit dans le monde. Est-ce une fuite, un refuge pour vivre ma peine ? Aucune idée, mais c'est plus fort que moi. Il n'y a rien de rationnel dans cette décision impulsive, intuitive. Tout ce que je ressens, c'est le besoin d'être seule comme un animal meurtri qui ne veut pas montrer sa blessure. J'ai un besoin viscéral de m'isoler pour pleurer et c'est là que je veux aller.

J'ai avisé mon mari, mes enfants et j'ai écrit à Yolaine pour lui dire que j'arrivais dans quelques jours. Elle m'a répondu, un peu surprise: « Viens-tu seule ? Pourquoi maintenant ? » Je n'ai pas répondu à ses questions, mais je lui ai demandé de me réserver une voiture et une chambre pour dix jours.

Le lendemain matin, elle m'a réécrit: « Ma mère vient de m'apprendre le drame que tu viens de vivre avec le décès de ton neveu. Elle en a entendu parler par les journaux et à la radio. Je crois que tu viens au bon endroit. »

Le regard un peu perdu, dans mes pensées, j'ai préparé une petite valise avec quelques livres et l'espoir de trouver ce que je cherchais. Des réponses.

J'ai eu le sentiment d'abandonner Gilles et les filles, mais je n'étais d'aucune utilité à la maison. Une fois assise dans l'avion, en écoutant l'agente de bord expliquer les mesures de sécurité avant le décollage, j'ai eu l'impression qu'elle me parlait. J'ai compris qu'il était temps d'ajuster le masque à oxygène sur mon visage avant de l'ajuster sur celui des gens que j'aimais. Je manquais d'air, j'étais non fonctionnelle.

Le 2 septembre 2002 à midi, l'avion atterrit à Ibiza, petite île espagnole située dans l'archipel des Baléares, réputée aujourd'hui pour ses plages et ses fêtes. Je n'avais jamais entendu parler de ce lieu aux paysages à faire rêver avant de m'y retrouver un peu malgré moi.

Je n'avais pas du tout le cœur à la fête et de toute façon, mon amie ne boit pas, ne fume pas et était végétarienne bien avant que le végétarisme devienne à la mode.

Yolaine m'attend à l'entrée de l'aéroport avec la voiture de location, et en m'assoyant sur le siège du passager, je récupère une carte d'Ibiza qu'elle y a déposée pour que je puisse m'orienter par rapport à son appartement. Elle a encerclé à l'aide d'un surligneur jaune la petite ville où est ma chambre. Le nom du village est accompagné d'une toute petite étoile : je lis « San Rafael ». Les larmes recommencent à couler discrètement sur mes joues, ces larmes qui ne me quittent plus depuis le 24 juillet. Yolaine, les deux yeux bien rivés sur la route, ne remarque pas immédiatement que j'ai cessé de poser des questions sur l'île pour bien m'orienter. Elle finit par se retourner vers moi pour mieux comprendre ce silence soudain et me regarde sans trop comprendre ma réaction. « Est-ce que j'ai dit quelque chose qui te fait de la peine ? » « Non. C'est que Raphaël, c'était le nom de mon neveu. »

Cet événement traumatique m'a rendue très sensible à la recherche de sens, de signes, de coïncidences ou de hasards. J'étais à la recherche de tout ce qui pouvait me réconforter ou me faire du bien. Le décès de Raphaël m'a amenée à me questionner comme je ne l'avais jamais fait. Je cherchais des réponses à mes questions existentielles. Pourquoi ce petit « hasard », le nom du village où j'habitais à Ibiza, San Rafael ? Je m'y suis accrochée pendant tout mon séjour.

Il y avait une fissure dans mon cœur et c'est comme ça qu'une toute petite lumière a fait son apparition lors de mon séjour à Ibiza. Je pense à la célèbre chanson de Leonard Cohen, *Anthem*, et à ce passage si souvent cité dans lequel il écrit « Il y a une fissure en chaque chose / Et c'est ainsi que la lumière entre ». Je me suis accrochée à deux mains, les poings bien fermés, à cette petite lumière qui me paraissait si loin.

Yolaine a respecté mon désir de vivre mon deuil dans la solitude. Elle m'a tout simplement accompagnée avec son écoute et sa compassion. Elle a décoré ma chambre avec un voile blanc. Une dizaine de livres sur le deuil et la spiritualité m'attendaient dans la petite bibliothèque tout près de mon lit. Parmi la pile de livres qu'elle m'a apportée, le premier qui a attiré mon attention racontait le périple d'un pèlerin sur les chemins de Compostelle. Incapable de dormir malgré la fatigue des dernières semaines, j'ai lu ce livre dès la première nuit, et c'est à 2 h du matin dans une chambre à Ibiza que mon désir de marcher sur ce chemin mythique a pris forme. Je ne savais pas, à ce moment-là, que ce projet allait se réaliser 16 ans plus tard. Sans trop savoir pourquoi, j'avais le sentiment profond que ce chemin allait être utile à ma guérison.

J'ai pleuré beaucoup à Ibiza. Je me suis souvent retrouvée recroquevillée sur moi-même, en petite boule, dans mon lit pendant des nuits d'insomnie et d'angoisse. Pourquoi ça nous est arrivé ? Pourquoi nous ? Qu'est-ce qui s'est passé ? Avons-nous été négligents ? Est-ce que Raphaël s'est agrippé trop longtemps au canot ? A-t-il souffert ?

Il m'arrivait de m'endormir tout habillée sur mon lit et de me réveiller en sursaut en manquant d'air. Mourir noyée, ne pas pouvoir respirer cet air qui a rempli mes poumons en remontant à la surface de l'eau chaque fois que je plongeais. Cette bouffée d'air qui est si bonne. J'ai fait ce mouvement de retenir mon souffle des milliers de fois, mais je ne peux m'imaginer Raphaël coincé dans le canot qui ne peut remonter pour prendre son souffle, ce souffle de la vie.

La douleur est vive comme un couteau qui rentre dans mon cœur. Comme pour me faire souffrir un peu plus, j'écoutais la chanson *Tears in Heaven* qu'Eric Clapton a écrite après le décès de façon accidentelle de son fils.

Connaîtrais-tu mon nom
Si je te voyais au paradis ?
Ressentirais-tu la même chose
Si je te voyais au paradis ?
Je dois être fort et continuer à vivre
Car je sais que je n'ai pas ma place au paradis

Je sais que ça semble insensé d'agir ainsi, mais ces paroles me parlent et rejoignent mon mal. Elles résonnent en moi.

Les premières nuits ont été difficiles. Le dicton « rien n'arrive sans raison » me passe par la tête. Une raison... Quelle raison dois-je voir à travers une épreuve comme la mort d'un enfant et la souffrance que vivent France et Jean-François ?

Des questions me hantent toujours. Avons-nous été téméraires en nous retrouvant sur cette rivière ? Est-ce qu'on aurait dû poser plus de questions aux guides et organisateurs avant d'accepter leur invitation à prendre part à cette activité ? Comment se fait-il que Raphaël, malgré sa veste de flottaison, ne soit pas remonté à la surface ? Où avons-nous erré ? Comment se fait-il que le canot ne soit pas remonté à la surface ? Je croyais qu'un canot, ça flottait. Pourquoi, pourquoi, pourquoi ?

Je me suis posé la question concernant mon expérience en canot. Est-ce qu'on a sous-estimé les connaissances nécessaires pour faire du canot en rivière ? Mon expérience est beaucoup plus instinctive que théorique. Avec toutes ces questions en tête, je finissais par m'endormir de fatigue, très souvent lorsque le soleil poignait à l'horizon.

Entrer dans la souffrance comme un animal blessé. Je suis restée forte devant les enfants, mais quand je me suis retrouvée seule, je me suis laissée aller. Entrer dans la sensation. La douleur. Accueillir la douleur et se donner le droit de la sentir et de la vivre loin des regards. Comme athlète olympique, combien de fois ai-je entendu les gens dire « elle gère bien ses émotions avec ce calme olympien » ? Je me suis donné le droit de ne pas être parfaite et de pleurer toutes les larmes de mon corps.

J'aurais voulu que mon mari soit avec moi, mais les enfants avaient vraiment besoin d'une présence rassurante. Sinon, le bateau familial allait couler aussi. Nous tentions de survivre. Nous étions accrochés au radeau et nous survivions, sans pouvoir nous aider les uns les autres. Mon frère, France et nous sommes à la dérive.

Je suis démolie et l'être cartésien en moi ne comprend pas. Je cherche des réponses qui ne viennent pas. Je souffre, je pleure, je me sens coupable et rien ni personne ne peut me consoler. Pourquoi j'ai amené ma famille avec moi? C'est à ce moment-là que je me dis: «Plus jamais je ne vais accepter une présidence d'honneur.» Depuis 18 ans, j'avais dit oui des centaines de fois, pour des collectes de fonds, pour des centaines de causes. Pendant des années après l'accident, les mots «marraine d'honneur», «présidente honoraire» m'ont donné des frissons.

Je refais le scénario de cette journée pour la millième fois. Est-ce que nos vestes étaient bien attachées? Est-ce que les canots étaient conformes? Est-ce que j'aurais pu plonger pour sauver la vie de Raphaël? PLONGER comme je l'ai si bien fait des milliers de fois en remontant à la surface de l'eau pour prendre une grande respiration. Pourquoi je n'y suis pas allée cette fois-là? La fois la plus importante de ma vie où j'aurais dû plonger, je n'y suis pas allée parce que mon frère ne le voulait pas. On a beau me répéter que c'était la seule décision à prendre, que je me serais très vraisemblablement noyée aussi si j'avais plongé, rien n'y fait. Les questions me reviennent avec insistance.

J'ai vécu les plus beaux et les pires moments de ma vie dans l'eau. Est-ce qu'il y a quelque chose à y comprendre?

J'ai lu et entendu plusieurs fois depuis les dernières semaines que le temps va nous guérir. Oui, je veux bien, le temps. Mais qu'est-ce que je fais en attendant que le temps passe? Je ne veux plus entendre cette phrase.

Mon être en entier est souffrant. Vulnérable, fragile. Je n'ai jamais rien vécu de comparable.

La vulnérabilité et la fragilité prennent toute la place, je me sens comme un animal blessé qui veut se cacher puisqu'il n'a aucun moyen de défense. Les carapaces sont inexistantes.

Pourquoi moi, pourquoi nous ? Est-ce possible de retrouver une paix intérieure ? C'est de ma faute si toute la famille vit le pire cauchemar que l'on puisse imaginer.

Je veux éviter d'être de porter des accusations, mais comment survivre à ce drame si je ne renvoie pas les accusations vers une autre personne ?

Même l'injustice est un mot qui peut prendre forme. Comment se peut-il que ça nous arrive à nous ? J'étais là pour rendre service, pour une collecte de fonds pour une rivière à saumon. Pourquoi Raphaël, un enfant qui avait la joie de vivre inscrite sur le front ?

Je cherchais désespérément un petit coin de mon être qui pouvait me réconforter. Voilà comment la spiritualité est entrée dans ma vie. Par la douleur et la recherche de réponses à mes questions. C'était un grand pas dans l'inconnu que je faisais, mais il fallait creuser pour retrouver une paix intérieure qui allait me permettre de continuer, de survivre à cette épreuve. C'est vraiment comme traverser un miroir et ne pas savoir ce qui se trouve de l'autre côté.

Le matin, j'allais marcher sur la plage ou sur la falaise devant Es Vedra, cet énorme rocher dans la mer bleue qui offre un panorama à couper le souffle. Je regardais le ciel et criait ma peine comme si elle était trop grande pour moi.

Malgré ma douleur, je n'ai jamais cessé d'être émerveillée par la nature, et ce décor a été un baume sur ma douleur. Dix jours à lire, à chercher un sens à ce drame familial, à pleurer sans me retenir, sans devoir être forte pour les autres. Aucune façade ni carapace. Seule avec ma peine. Ça faisait parfois du mal et du bien en même temps. Se permettre d'être fragile, vulnérable, sans jugement. J'ai marché des heures sur les plages au sable blanc, je descendais dans la mer et mes larmes salées se mélangeaient à cette eau verte, parfois turquoise. C'est à ce moment-là que j'ai réalisé que l'eau de la mer, de la rivière, de la piscine, l'eau sous toutes ses formes ne serait plus jamais synonyme de bonheur et de plaisir. L'eau est devenue source de malheur, de souffrance, dorénavant associée au danger, à la mort, au non-retour.

Pourquoi dans l'eau ? Je me suis tellement questionnée. Pourquoi le canot a-t-il coulé, plongé et pourquoi, contrairement à une plongeuse qui remonte à la surface sous les applaudissements, Raphaël n'est-il pas remonté ? Il est mort, seul, dans l'eau froide.

Le soleil continuait de se lever tous les matins sur les criques qui font la notoriété d'Ibiza et de disparaître à l'horizon, sur cette mer, tous les soirs. Les journées défilaient et je savais que malgré mon cœur en charpie, je devais retourner à la maison, reprendre mes activités professionnelles, redevenir la maman forte qui se consacre à ses filles avec Gilles.

Mon mari veillait sur tout à la maison. Je l'appelais tous les jours, mais je l'écoutais d'une oreille distraite, ou plutôt d'une oreille incapable de participer à une discussion qui me ramenait à la réalité, à la routine des enfants. Cette routine si importante pour maintenir leur équilibre malgré cette eau agitée dans laquelle nous tentions sans relâche de naviguer pour regagner la rive en sécurité. Je ne sais pas comment nous serions passés au travers si Gilles n'avait pas été si solide à la maison pour que tout ne s'effondre pas, pour tenir le noyau familial. Les enfants avaient besoin de stabilité et de réconfort, et Gilles a pu leur offrir ce dont elles avaient besoin à ce moment bien précis dans leur vie. Je lui en suis reconnaissante.

Dans l'avion de retour d'Ibiza, je me sentais un peu mieux, malgré l'anxiété qui ne m'a jamais quittée. Mes années d'entraînement et de compétitions m'ont bien aidée à passer au travers de ces mois qui m'attendaient. Le calme olympien, cette expression qui m'a toujours fait sourire, a repris sa place avec cette façade qui me cache, ce costume qui m'habille et fait de moi une femme forte malgré l'anxiété qui m'habitait au quotidien. Les enfants ont continué à vivre leur train-train tous les jours et, comme maman, je me devais de conserver un semblant de vie normale et de maintenir le bateau à flot, même si je me noyais intérieurement. J'étais très consciente que ma peine n'avait aucune commune mesure avec celle de France, Jean-François et Antoine, qui étaient de retour à la maison sans Raphaël, face à une vie qui n'avait plus aucun sens. Humainement, comment est-ce possible de poursuivre son chemin sans son enfant, son frère? Je me pose la question. On marche un pas à la fois, on poursuit notre chemin pour ceux qui restent. Nos enfants nous ramènent au monde, avec les besoins de base.

Je me devais d'être forte pour m'occuper de mes enfants et poursuivre ma carrière. J'ai enfoui cette peine au plus profond de mon âme pour me permettre de continuer à fonctionner. C'était une question de survie. J'ai choisi de vivre et non de partir avec lui. Il y avait cette nouvelle lumière au fond de moi qui me donnait espoir. Elle était faible et fragile comme la flamme d'une chandelle qui est sur le point de s'éteindre, bousculée de droite à gauche par la tempête et le vent qui souffle.

En débarquant de l'avion, j'ai demandé à mon mari de m'aider à trouver un endroit dans la maison qui deviendrait mon havre de paix, un lieu où je pourrais me retrouver pour méditer et alimenter cette lumière. Je l'ai réalisé en convertissant un *walk-in*, et mes filles ont toujours su que lorsque maman était dans «sa» pièce, il ne fallait pas la déranger. Elle veut s'isoler. Ce lieu est mon refuge encore aujourd'hui. J'y fais du yoga, de la méditation, de la lecture, ou alors j'y regarde les arbres matures de ma fenêtre sans me soucier du temps qui passe.

Le retour à la maison s'est avéré pénible. J'étais heureuse de revoir ceux que j'aime le plus au monde, mes filles et Gilles. Mais comment reprendre un «semblant de routine», comme mon frère l'a tellement répété, si la vie n'a plus de sens? Nous décidons d'avancer pour les enfants qui restent. Nous faisons le *choix de vivre*. Nous avons le pouvoir de nous laisser aller ou d'agir. Nous avons tous choisi délibérément de surnager parce que Raphaël incarnait lui-même la joie de vivre.

Carpe diem : Jean-François a répété ces mots des dizaines de fois dans les semaines qui ont suivi le 24 juillet. « Cueille le jour présent sans te soucier du lendemain. »

À chaque jour suffit sa peine.

CHAPITRE 3

Apprendre à vivre sans Raphaël

QUELQUES JOURS AVANT MON DÉPART POUR IBIZA, LE 28 AOÛT 2002, le jour de notre anniversaire de mariage, le coroner en chef du Québec, le Dr Serge Turmel, rendait une ordonnance d'enquête relativement au décès de Raphaël. Je me souviens d'avoir pleuré à l'annonce de cette nouvelle. Nous éprouvions un tel sentiment de culpabilité que nous avions besoin d'aide pour répondre à toutes nos questions. Que s'était-il passé, exactement, ce jour-là? «Avons-nous été irresponsables d'amener nos enfants sur cette rivière?» Ces interrogations nous hantaient.

L'enquête aura lieu du 12 au 16 mai 2003 au palais de justice de Carleton et les 26 et 27 juin au palais de justice de Québec. Dix mois d'attente avant la possibilité d'obtenir enfin des réponses à toutes nos questions. Cela nous semblait interminable, comme délai.

Entre-temps, il me fallait essayer de reprendre un semblant de vie normale à la maison. Un mois après mon retour d'Ibiza, je n'avais pas la force d'affronter l'extérieur, de reprendre pied dans la vie devenue sans éclat, de retourner à ma vie professionnelle. Toute mon énergie était consacrée à mes enfants et le soir venu, je m'isolais dans « mon » petit havre pour libérer ma peine. La méditation commençait à prendre place dans ma vie. La petite lumière que je parvenais à faire jaillir en moi m'apaisait quelques minutes. Je savais que ces moments étaient essentiels à mon bien-être, mais au-delà de la discipline qui s'imposait, comment intégrer ces moments fugaces ?

Devant notre détresse, des amis nous ont conseillé d'aller consulter Johanne de Montigny, une psychologue qui se spécialise dans le deuil et dans la quête de sens à la suite d'un choc comme nous venions d'en vivre. Nous l'avons vue deux fois tous les quatre ensemble, France, Jean-François, Gilles et moi. Il fallait qu'on puisse parler ouvertement de ce que nous avions vécu, s'exprimer sans filtre, avec une personne qui avait le recul et les connaissances pour nous aider à entamer ce long chemin sinueux du deuil. La complexité de l'être humain me fascinera toujours. Nous étions tous sur le même embâcle le 24 juillet, mais l'avons vécu chacun à notre manière et notre deuil s'amorçait aussi de façon très différente.

Johanne de Montigny nous a confortés dans nos différences et confirmé qu'il y a moult façons de se relever d'une perte majeure et de découvrir un nouveau sens à sa vie.

L'un des beaux messages que je retiens de nos échanges avec cette grande spécialiste, c'est l'importance de respecter l'autre dans son entièreté et sa différence. Par exemple, ce n'est pas parce que quelqu'un ne semble pas affecté ou ne pleure pas pendant des heures qu'il ne vit pas une peine profonde. Pendant cette période, mes trois filles ont aussi vu un psychologue. Nous voulions nous assurer qu'elles pouvaient parler ouvertement de leur épreuve. Catherine, Annabelle et Florence sentaient la peine que nous avions, mais elles n'en parlaient que très rarement à la maison. Elles ont pourtant été témoins de la tragédie, et on voulait qu'elles puissent à leur tour exprimer leurs sentiments avec des spécialistes.

À la fin septembre, nous avons décidé d'aller camper en Estrie, Gilles, France, Jean-François, les enfants et moi. On essayait de conserver le plus possible les activités et les loisirs que les enfants pratiquaient avant le décès de Raphaël. Antoine et les cousines voulaient toujours être ensemble. Les enfants possèdent une capacité de vivre dans le moment présent que j'admire profondément. Ils couraient dans la forêt, organisaient des jeux pendant que nous, les adultes, nous cachions pour essuyer nos larmes. On passait des heures à se parler, se questionner.

France et Jean-François avaient engagé un avocat pour les aider à y voir plus clair. Ils avaient obtenu des informations à propos du peu de formation des guides sur la rivière Nouvelle. Ils en savaient déjà beaucoup plus que moi et avaient réalisé qu'il y avait eu des lacunes à l'organisation de notre sortie en canot, bien avant l'enquête du coroner. Ils étaient aussi en contact avec une experte en canot et avec la Fédération québécoise du canot et du kayak.

Le sentiment de culpabilité m'habitait à ce point que j'avais de la difficulté à les côtoyer. Je voulais être avec France et Jean-François, mais d'un autre côté, je ne me sentais pas d'un grand soutien. Gilles prenait en charge la situation la majorité du temps. Doucement et sournoisement, la peur, une réaction ou un sentiment qui était peu présent chez moi avant cet événement, commençait à s'immiscer dans toutes mes décisions. Je me suis mise à avoir peur d'aller marcher en montagne, de nager dans un lac, de circuler en voiture sur la route… Le filtre de la peur et du « si jamais la situation catastrophique se produisait », je l'ai vécu.

Jusqu'à la fin de mes jours, cette journée sera incrustée dans ma mémoire. Tous mes gestes étaient désormais précautionneux. J'appliquais de la crème solaire à mes enfants en me disant que s'il fallait qu'elles attrapent un coup de soleil, il y aurait des conséquences néfastes. Tout prenait des proportions exagérées. La croyance que quelque chose de grave pouvait se passer en ma présence me terrorisait. Avant, j'étais toujours en mode « on part en famille ! ». J'invitais régulièrement les voisins et les amis pour des activités de plein air. Mais tout s'est arrêté le 24 juillet 2002.

J'étais obsédée par cette idée : s'il fallait qu'il arrive quelque chose à une personne qui nous accompagne, je ne pourrais pas y survivre.

La peur a pris une place démesurée dans ma vie, cet automne-là, comme si chaque pas, chaque décision devenaient difficiles à négocier. Je n'avais plus le contrôle de mes pensées. Mon corps et ma tête avaient si peur qu'un autre événement gravissime se produise qu'ils préféraient observer la prudence totale. J'ai consulté un psychologue à ce propos. Il me fallait rester forte, du moins en apparence. Le « calme olympien », en surface, me sert encore.

Il y aura toujours un avant et un après Raphaël. Cette fin de semaine de septembre 2002 est la dernière sortie de camping que nous avons organisée ensemble. Une amie de France, son conjoint et leurs deux enfants s'étaient joints à nous. Heureusement qu'ils étaient là pour faire diversion. France et moi chérissions tellement de beaux souvenirs de vacances avec les enfants en tête… Mais l'absence de Raphaël prenait toute la place.

Cette fin de semaine là, j'ai constaté que je ne pourrais plus retourner camper tout court pendant un bon bout de temps. Faire du kayak de mer ou m'adonner à toute autre activité de plein air que j'organisais pour la famille devenait une source de stress insoutenable. La peur qu'il arrive quelque chose à un enfant ou à un adulte en ma présence devenait une source d'anxiété incontrôlable et de plus en plus envahissante. Je suis passée d'une maman qui laissait ses enfants jouer dehors avec les amis à une mère qui anticipait le pire. J'ai donné notre kayak de mer à une amie et me suis éloignée de tous les loisirs aquatiques pendant des années. Je refusais même que mes filles participent à toute activité scolaire impliquant de l'eau. Mes réactions étaient disproportionnées, mais je n'y pouvais rien. Je n'avais plus le sentiment que je pouvais évaluer rationnellement la dangerosité d'une activité. J'avais pourtant toujours pratiqué des activités de plein air de façon responsable. Je me retrouvais sans repères. Si j'avais pu envelopper mes enfants dans du papier bulle, je l'aurais fait. J'ai peine à y croire aujourd'hui.

Gilles, mon mari, est la seule personne à qui je parlais de mes émotions, de mes peurs et de mon sentiment de culpabilité. Il était là tout près de moi, mais je savais qu'il n'y pouvait rien, malgré son écoute et ses paroles réconfortantes. Il avait beau me répéter que je ne pouvais pas savoir que cette rivière allait nous enlever Raphaël, rien n'y faisait. Il suffisait que je songe à la peine de France et Jean-François pour que la culpabilité m'envahisse.

Je me demandais : est-ce que je suis en train de vivre un choc post-traumatique ? Pendant plus de cinq ans, de 1996 à 2001, j'ai consulté une psychologue clinicienne pour apprendre à mieux gérer l'angoisse, qui est apparue à mon retour des Jeux olympiques de 1984. En 2002, j'allais beaucoup mieux, je m'apprêtais à diminuer la dose d'anxiolytique dans le but de les arrêter complètement. C'est à ce moment que l'accident s'est produit. Je suis littéralement tombée, les deux genoux au sol, face contre terre.

Oui, j'ai souffert d'anxiété pendant presque toute ma vie après Los Angeles, et la noyade de Raphaël m'a à nouveau plongée dans cette spirale qui me semblait incontrôlable. À l'anxiété s'ajoutait le terrible sentiment de culpabilité d'avoir emmené ma famille à Nouvelle. Aussi, je l'avoue, je redoutais le jugement des autres. Je craignais que les gens pensent que j'avais entraîné ma famille dans une activité beaucoup trop difficile et dangereuse.

Novembre. Les dernières feuilles tombaient, le temps gris et le mois des morts prenaient tout leur sens. J'aime les quatre saisons depuis toujours, moi qui suis d'un naturel optimiste. Cette fois, j'avais perdu mon enthousiasme. Bien sûr, j'avais recommencé progressivement à faire quelques activités professionnelles, mais je revenais directement à la maison dès que je le pouvais. Je ne voulais pas affronter les regards. Ma première intervention télé sur le sujet a été faite dans le cadre de ma chronique à *Salut Bonjour*. Guy Mongrain a fait cette entrevue avec beaucoup de compassion. Il a posé quelques questions, mais voyait bien que je n'avais pas toutes les réponses auxquelles tout le monde s'attendait. Il a dirigé cet échange comme lui seul peut le faire et m'a donné la confiance de revenir en ondes. J'ai repris dans les semaines suivantes mes chroniques hebdomadaires. Mes chroniques à *Salut Bonjour*, qui ont pris fin en juin 2004, portaient la majorité du temps sur des activités familiales. Tous les loisirs dont je traitais tournaient autour de la famille.

Comme maman de trois jeunes filles, je commentais l'actualité qui tournait autour de la vie à la maison. J'ai mis un énorme bandage sur cette plaie et je ne voulais surtout pas laisser à quiconque la moindre ouverture. Mon langage corporel dictait à tous de ne pas s'aventurer là où je ne voulais pas aller.

Guy m'a rappelé dernièrement lors d'un souper qu'il y avait des questions sans réponses puisque dans ma tête, il s'agissait d'un accident et que je n'avais toujours pas imaginé ce que nous allions apprendre à l'enquête du coroner. Depuis le début, j'avais compris la tragédie tel un accident comme il peut en arriver dans les familles les plus responsables.

Je n'ai jamais plus accordé d'entrevues sur le sujet, sauf bien malgré moi lorsque j'ai été invitée sur le plateau de *Tout le monde en parle*, en 2008, à titre de chef de mission du Canada aux Jeux olympiques de Pékin. À la fin d'une entrevue qui jusque-là avait principalement porté sur les Jeux à venir (le rôle de chef de mission, la pollution, les droits de l'homme en Chine, la chaleur, etc.), l'animateur Guy A. Lepage m'a posé une question sur notre drame familial de juillet 2002 et sur les mesures prises pour que ça ne se reproduise plus. Il faisait référence au dépôt en 2004 du rapport du coroner. J'ai figé sur ma chaise, puisque je ne m'attendais pas du tout à cette question. Les yeux pleins d'eau, j'ai essayé tant bien que mal de répondre. Je n'étais aucunement préparée à aborder ce sujet délicat en ondes. La famille n'était pas prête non plus à en parler. Guy A. a eu la délicatesse de m'écrire le lendemain de l'enregistrement pour valider avec moi ce que je voulais qu'il garde au montage. J'ai relu le verbatim qui concernait l'accident et j'ai décidé avec lui de la portion d'entrevue qu'il allait conserver pour l'émission du dimanche soir. Je l'en remercie. J'ai prévenu ma famille afin qu'elle s'y prépare.

Décembre, c'est la première neige, qui a toujours été une belle période pour nous, skieurs de fond, mais c'est aussi l'anniversaire de naissance de Raphaël. Le 15 décembre, il aurait célébré son 6e anniversaire et aurait été en maternelle. Dans les semaines qui ont suivi l'accident, France et Jean-François ont reçu par la poste les informations concernant son entrée à la petite école. Dire qu'il avait tellement hâte d'y aller comme son grand frère Antoine !

France soulignait toujours l'anniversaire de naissance de Jean-François (le 17 décembre) et celui de Raphaël la même journée. Gilles et moi les avons appelés le 15 décembre pour leur dire que nos pensées étaient avec eux. Nous nous inquiétions beaucoup pour France et Jean-François. Comment pouvions-nous les aider ?

Chez nous, à la maison, nous avions encadré et mis bien en vue des photos des enfants avec Raphaël et Antoine. Le petit était toujours là à sa façon, bien qu'on évitât d'en parler ouvertement, comme si la plaie était beaucoup trop vive pour soulever le pansement.

Il y a eu un moment important, à l'automne 2002, dans notre compréhension de ce qui s'était réellement passé sur la rivière. Une des guides sur la rivière m'a fait parvenir, par l'entremise du réseau TVA, une lettre dans laquelle elle me parlait de l'appel téléphonique de France à la rivière Nouvelle. Je n'ai pas trop saisi ce à quoi elle faisait allusion. Elle voulait que je dise à France que la rivière était maintenant interdite aux moins de 12 ans et que la portion après le pont de fer était fermée. (Aujourd'hui, l'activité de canotage guidée n'est plus offerte sur la rivière Nouvelle.)

J'ai mieux compris quand j'ai appris que, dans les semaines qui ont suivi l'accident, France a appelé de façon anonyme à la ZEC pour demander si des activités de canotage guidées sur la rivière Nouvelle étaient toujours offertes. Lorsqu'on lui a répondu « oui », France a éclaté. « Un enfant de cinq ans est mort sur cette rivière, en canot. Je ne peux pas croire qu'il y a encore des activités familiales guidées. » Puis elle a raccroché, en larmes. Celle qui avait répondu au téléphone a reconnu France. Elle nous accompagnait, à titre de guide, lorsque l'accident s'est produit.

Je l'ai rappelée en novembre, deux mois après avoir reçu sa lettre, puisqu'elle m'avait laissé son numéro de téléphone. Je n'aurais pu le faire avant. Dès que je me suis nommée, elle s'est mise à pleurer. Nous avons eu une conversation d'une trentaine de minutes. Très émue, elle avait un trémolo dans la voix. J'avais des questions pour elle, notamment sur la façon dont mes filles avaient vécu l'accident. C'est elle qui était avec Annabelle et Florence sur les galets juste devant l'embâcle. Elle a pris soin de nos filles pendant que nous essayions de faire décrocher le canot dans lequel était emprisonné Raphaël au fond de l'eau.

Lors de cette conversation, elle m'a dit qu'elle savait que la rivière était dangereuse et qu'elle l'avait même mentionné aux organisateurs. Elle m'a expliqué que la semaine précédente, elle y était allée comme guide avec un client, un homme, et son fils de 11 ou 12 ans. Ils ont chaviré et le garçon a été emporté par le courant. Elle a réussi à la dernière seconde à attraper l'enfant par sa veste. Elle a raconté l'incident en pleurant, ajoutant qu'elle ne savait pas ce qui serait arrivé si elle n'avait pas réussi à le rattraper. Le père de l'enfant riait, ne voyant pas le danger. Elle, toutefois, ne voyait rien de drôle dans cette scène et a eu réellement peur.

Je lui ai demandé pourquoi elle ne nous avait pas mentionné cet incident, si au moins elle en avait fait part à l'organisateur, son patron. Elle m'a répondu que oui, ses patrons avaient été mis au courant. Je me souviens que mon frère Jean-François m'a mentionné qu'avant notre départ en canot, il l'avait trouvée craintive, sans trop savoir pourquoi. On a appris un peu plus tard que le directeur de la ZEC était même allé, avant notre randonnée, récupérer un canot laissé par des touristes deux jours plus tôt un peu plus haut sur la rivière. L'un des guides qui nous accompagnaient descendait la rivière pour la première fois en 2002.

Nous avions tellement de questions restées en suspens. À un seul endroit de la rivière, nous avons débarqué et marché pour éviter une descente rapide où il y avait une pancarte avec la mention « danger ».

Elle m'a ensuite parlé de l'endroit où Gilles, Annabelle et moi avons chaviré. La semaine précédente, elle avait aussi chaviré, en kayak, quelques mètres plus haut, et avait eu peur de se noyer. Deux jours plus tard, un collègue était allé chercher sa rame aspirée par le tourbillon à quelques mètres sous l'eau. Elle a poursuivi sa déclaration dans un même souffle, comme si elle attendait mon appel depuis des semaines. Elle a ajouté que lorsqu'elle nous a vus chavirer, elle a eu très peur. Elle savait qu'il y avait danger.

Lors de notre randonnée funeste, elle restait loin derrière. Aussi, elle a marché plusieurs sections sur les galets de pierre plutôt que de naviguer sur la rivière dans les portions plus sinueuses. Elle ne comprenait pas pourquoi nous ne faisions pas plus de portage. NOUS NE SAVIONS PAS QUE C'ÉTAIT DANGEREUX ! Voilà la réponse à son interrogation.

Je l'ai écoutée parler sans l'interrompre. Plus la conversation avançait, plus je sentais la rage monter en moi. J'ai eu envie de crier au téléphone. Pourquoi tu ne me l'as pas dit ? J'étais incapable de hurler, car j'ai senti sa vulnérabilité, son regret, sa peine, sa compassion. Elle rêvait de retourner en arrière pour nous dire tout ce qu'elle savait. Elle aussi souffre beaucoup. Je ne peux lui en vouloir. Et pourtant, un enfant, un fils, un neveu, un cousin, un petit-fils est mort.

Cette boule que j'avais dans le ventre et qui montait jusqu'à ma gorge grossissait au fur et à mesure que je l'écoutais. La peine qui m'habitait depuis des mois a commencé à se transformer en colère, un sentiment que j'avais rarement connu dans ma vie. Du désespoir à la rage, puisque, pour la première fois, je m'interrogeais sur les compétences des gens qui nous ont accompagnés. Ces guides en qui nous avions confiance, ces guides qui devaient anticiper pour nous les endroits où nous aurions pu faire du portage. Il restait six mois d'attente avant le début de l'enquête du coroner, grâce à laquelle nous allions connaître le fond de toute cette histoire.

C'est maintenant la rage qui me permettait de survivre. Je pensais à France et à Jean-François, qui avaient de la difficulté à survivre et qui étaient toujours en arrêt de travail. La peine était un fantôme présent avec eux à longueur de journée.

Il m'arrivait de vouloir retourner en Gaspésie pour affronter celui qui m'avait invitée à participer à cette soirée-bénéfice. J'oscillais entre la culpabilité et le désir de rejeter la responsabilité sur une autre personne. Cela me permettait de respirer un peu, de m'enlever ce poids terrible, l'odieux d'avoir brisé la vie de mon frère et de mon amie d'enfance. L'expression « vouloir mettre le singe sur l'épaule de l'autre », je l'ai comprise et vécue à plein après le décès de Raphaël. Mais rien n'y faisait, le singe restait bien assis sur mes épaules et il y est resté pendant des années.

On nous a dit que la première année serait celle des premières fois… sans Raphaël.

J'appréhendais la période des Fêtes sans la présence du plus jeune des 12 petits-enfants de notre belle et grande famille. Noël a toujours été une belle période, pour nous. Mes parents, deux de mes frères et ma sœur habitent à ce jour la région de Québec. Jean-François et moi sommes les seuls à vivre à l'extérieur. Le 25 décembre est la seule journée dans l'année où nous nous réunissons tous, avec les cousins et cousines.

Ces retrouvailles sont d'autant plus précieuses et réjouissantes pour moi puisque, de l'âge de 14 ans à 20 ans, il m'est souvent arrivé de les rater en raison de ma carrière de plongeuse. J'étais en camp d'entraînement dans le Sud, pour perfectionner mes figures. Je trouvais difficile de ne pas partager cette période avec mes proches.

Pour ce 25 décembre tout à fait particulier, France avait apporté une photo bien encadrée de Raphaël avec une chandelle que nous avons allumée et installée bien à la vue de tous. Nous avons pris le temps de parler de lui, mais son absence, l'éléphant dans la pièce, a assombri la journée et toute la période des Fêtes. Il manquait profondément à tous. On s'ennuyait de son rire contagieux. Sous ce théâtre de bonne humeur que nous conservions pour les enfants se cachait une peine indescriptible.

CHAPITRE 4

Revivre le drame devant le coroner

PRINTEMPS 2003. LES AUDIENCES PUBLIQUES DE L'ENQUÊTE, présidée par Me Andrée Kronström, ont duré sept jours, du 12 au 16 mai 2003 au palais de justice du Carleton, puis les 26 et 27 juin 2003 au palais de justice de Québec. Au cours de l'enquête, 22 témoins, dont un témoin expert, ont été entendus et 76 pièces ou liasses de pièces ont été déposées. France et Jean-François étaient présents pendant toute l'enquête du coroner, en Gaspésie et lors de la prolongation au palais de justice à Québec. J'ai témoigné pendant la séance en Gaspésie, mais n'étais pas présente toute la semaine, puisque je n'avais pas le statut de personne intéressée. Les seuls souvenirs que j'en ai sont écrits dans le rapport ou m'ont été rapportés des années plus tard. J'ai mentionné à Me Kronström que si on nous avait expliqué le moindrement les dangers d'une rivière à saumon, nous n'y serions pas allés. J'ai affirmé que nous n'avons eu aucune consigne particulière sur la rivière, en particulier quant à son degré de difficulté (R1, R2, etc.). De toute façon, nous ne connaissions absolument pas cette classification, et encore moins la notion d'embâcle sur une rivière à saumon.

Je dois vous avouer que pour la première fois de ma vie, j'ai eu le sentiment à l'enquête du coroner que mon jugement critique a été ébranlé. Exercer son jugement, avoir ses gardes toujours élevées, poser de multiples questions avant, AVANT de s'asseoir dans ce canot. On a baissé notre garde en tenant pour acquis qu'on partait pour une petite balade avec des guides. On ne se doutait pas qu'il y avait des pièges devant nous. Je ne me suis pas fait confiance pendant des années par rapport à ce jugement critique avant de planifier une activité. Je n'ai jamais été téméraire avec les gens qui m'entourent, mais cet accident m'a rendue très craintive.

Je partage avec vous les passages du rapport d'enquête de Me Andrée Kronström qui m'ont le plus touchée quand je l'ai lu au printemps 2004, deux ans après la mort de Raphaël. On y trouve quelques-unes des 33 recommandations du coroner :

« *Pour tenter d'expliquer ce traumatisme mortel, j'ai dû considérer un ensemble de facteurs qui se rapportaient à l'activité de canotage en rivière. En l'occurrence, je me suis attardée aux facteurs suivants : la rivière Nouvelle, la flottaison du canot, l'expérience des "guides" et des participants ainsi que l'existence d'un cadre normatif. L'étude de ces facteurs m'a permis de comprendre pourquoi le canot où prenait place Raphaël Bernier avait heurté un tas de bois (embâcle), chaviré, puis coulé emprisonnant ainsi l'enfant sous l'eau. J'ai pu mettre en évidence que, même si une rivière (eau vive) représente toujours un danger, des gestes peuvent être posés pour en accroître la sécurité et éviter la survenance d'un tel événement.*

Aidée d'un expert, j'ai pu établir que porter le canot sur l'île, située au milieu de la rivière, constituait la solution la plus facile afin d'éviter l'obstacle. De plus, du matériel de flottaison (ballon ou bande de mousse sur le canot) aurait pu être ajouté afin d'éviter que l'embarcation ne coule aussi profondément. Finalement, le sauvetage aurait pu être facilité, diminuant ainsi le temps de l'immersion. Pour ce faire, les sauveteurs auraient dû être formés, posséder l'équipement nécessaire et être dotés d'un plan d'urgence.

Je constate que la présence de "guides" qui ne possédaient ni les connaissances techniques de canotage, ni les qualités d'encadrement, a contribué à créer un faux sentiment de sécurité et à accroître par le fait même les risques d'accidents.

Lors de l'enquête, j'ai été à même de constater qu'il existait, au moment des événements, des normes pour la pratique du canotage ainsi que pour la formation des guides, lesquelles émanaient d'abord de la Fédération québécoise du canot et du kayak (FQCK). De plus, Aventure Écotourisme Québec (AEQ), qui est un regroupement de compagnies spécialisées dans les activités de nature et d'aventure, s'est doté de nouveaux outils d'application volontaire, dont un guide en gestion des risques afin d'accroître la qualité des services. Tourisme Québec a par ailleurs mandaté le Bureau de normalisation du Québec (BNQ) afin de créer une norme de sécurité, la norme NQ 9700-065/2003, laquelle a vu le jour en 2003. Bien que ces outils soient toujours perfectibles, je crois qu'ils devraient être appliqués. Ainsi les guides seraient bien formés et les activités, bien encadrées.

À la lumière des éléments présentés en preuve, j'en suis arrivée à formuler ***33 recommandations pour éviter qu'un décès semblable à celui de Raphaël Bernier se reproduise****. Notamment, il faut que l'expertise en canotage de la FQCK soit reconnue. Il faut uniformiser les exigences techniques de canotage et de sauvetage. Pour offrir des forfaits guidés en canot, il faut que les entreprises de nature et d'aventure s'assurent que leurs employés obtiennent les brevets requis de la FQCK […] et qu'elles obtiennent la certification prévue à cette fin. Il faut que Tourisme Québec multiplie ces mesures incitatives afin que le plus grand nombre d'entreprises de nature et d'aventure s'inscrivent dans le processus de certification. Il faut que l'AEQ implante son guide de gestion de risque le plus rapidement possible tout en ayant pris soin d'exiger et de vérifier les compétences techniques des guides pour leurs membres. Il faut également que la population soit davantage informée des risques inhérents aux activités qui se déroulent sur une rivière. Il faut que les compagnies qui louent des canots ou qui offrent des activités guidées en rivière ajoutent du matériel de flottaison à leurs embarcations dans certains cas. Finalement, il faut mettre* *en place un plan d'urgence et de sauvetage, surtout dans les localités où se trouvent des rivières.*

[...]

Presque arrivée à destination, soit à environ 1,5 km du poste d'accueil, la rivière s'élargit en se divisant en deux veines d'eau qui coule de part et d'autre d'une île au centre. La veine de gauche est plus profonde (2 à 3 m), celle de droite n'a que quelques centimètres de profondeur (environ 40 à 50 cm), mais demeure navigable. Aucune pancarte n'indique le chemin à prendre ou la présence d'un danger.

Les deux premiers canots empruntent la veine de gauche, zone plus profonde et plus large. Ils suivent une trajectoire qui les conduit plus près de l'île que de la rive. M. Jean-François Bernier et Mme *Rochette engagent aussi leur canot dans la veine de gauche sans avoir vu la manœuvre effectuée par les canoteurs précédents. Le courant est fort et entraîne le canot vers la rive, où se trouve un embâcle, à savoir un amoncellement d'arbres et de branches qui se sont décrochés de la rive et sont tombés profondément dans la rivière. Les branches et les débris forment une espèce de passoire à travers laquelle l'eau circule. Le canot emprunte une trajectoire qui les conduit directement vers l'embâcle. Le canot heurte l'embâcle sur son flanc gauche. Sous la force de l'impact, le canot s'incline d'abord du côté de l'obstacle puis, de l'autre côté, l'eau s'engouffre rapidement à l'intérieur. Le canot chavire immédiatement, et coule sans remonter à la surface. Les parents réussissent à s'extirper de l'embarcation. Ils cherchent leurs enfants. Le plus âgé fait surface après quelques secondes. On voit également l'un des bancs de bois surgir de la rivière. Personne ne sait où se trouve Raphaël : on ignore s'il a été emporté par le courant ou s'il s'est empêtré dans les branches ou encore s'il est emprisonné dans le canot. Alertée par les cris, Mme Bernier comprend que quelque chose de grave vient de se produire. Après avoir mis les occupants de son canot en sécurité, elle nage à contre-courant vers le lieu de l'accident. Le directeur de la ZEC arrive presque au même moment. Aussitôt on tente de localiser Raphaël. Grâce à des lunettes polarisées, Jean-François aperçoit finalement le bras de Raphaël qui sort du canot, entre des branches. Le canot repose en cloche (à la renverse), de biais, plaqué contre les branches de l'embâcle ; Raphaël est donc prisonnier sous le canot qui est immergé à près de 7 pi (un peu plus de 2 m) de profondeur.*

Un appel au 911 est acheminé par le cellulaire d'un des guides à 16 h 45. L'appel est par la suite acheminé aux pompiers volontaires de Nouvelle et aux ambulanciers.

À partir de ce moment, tout est mis en œuvre pour tenter de libérer Raphaël. Tour à tour, on veut plonger, mais M. Bernier empêche tout le monde de le faire. Le courant est trop fort et risque d'aspirer les plongeurs et de les empêtrer dans les branches de l'embâcle. Pendant ce temps, tous tentent de faire bouger le canot au moyen de branches d'arbres.

[…]

Dépêché sur les lieux, un zodiac emprunté d'un citoyen de Nouvelle arrive vers 17 h 35, on y hisse alors l'enfant afin de l'amener aux ambulanciers qui attendent sur le pont Kearney. Pendant le trajet en zodiac, la RCR n'est pas prodiguée. L'embarcation est très agitée sur les eaux et les roches lacèrent ses flancs. »

J'ai pleuré en lisant cette dernière phrase. S'il y avait eu la moindre chance que Raphaël revienne à la vie grâce à la réanimation cardio-respiratoire, elle a été anéantie par l'arrêt des procédures dans le zodiac.

Le rapport du coroner a été publié le 19 avril 2004, mais puisque le bureau du coroner avait cessé de commenter publiquement les rapports d'enquête, j'ai décidé, avec la société de sauvetage et la FQCK, d'organiser notre propre conférence de presse.

Il est important de se rappeler que rien n'oblige une organisation privée ou publique à mettre en place une recommandation qui la vise dans les conclusions d'une enquête. La coroner Kronström n'a aucun pouvoir exécutoire ou coercitif pour assurer le suivi de ses recommandations.

Voici le texte que j'avais en main lors du point de presse à la suite du dépôt du rapport de la coroner Andrée Kronström :

« J'aimerais remercier le coroner, Me Andrée Kronström, la procureure du coroner, Me Catherine Ricard, tous les experts impliqués, Marc Gilbert, Daniel Gauvreau, Raynald Hawkins.

Tout le processus de cette enquête publique a été essentiel afin de comprendre cette tragédie, de mettre en lumière tous les éléments qui font maintenant partie de ce rapport, de pouvoir poser les questions pertinentes à toutes les instances concernées (SRGN, Tourisme Québec, AEQ).

J'avais été invitée à titre de présidente honoraire à une soirée-bénéfice pour la rivière Nouvelle. Les responsables nous ont invités, ma famille et moi ainsi que la famille de mon frère, à une excursion en canot sur la rivière Nouvelle.

Nous nous considérons comme des parents responsables qui ont une bonne expérience de l'eau, et avant de partir sur la rivière, nous avons tous enfilé notre veste de sauvetage. À cette étape, la présence des guides nous a donné un sentiment de confiance. Selon Marc Gilbert, expert du coroner, cette rivière était navigable le 24 juillet 2002, mais pour effectuer une randonnée sécuritaire, il fallait posséder certains acquis ou avoir des directives appropriées. Elle pouvait être parcourue par un enfant de l'âge de Raphaël si l'encadrement était suffisant.

Si je suis ici aujourd'hui, ce n'est pas à titre d'experte ou de membre de la Fédération ou de la Société de sauvetage. Non, si je suis ici, c'est pour sensibiliser les gens à la prudence lorsqu'il est question de canotage en eau vive, ou sur une rivière si vous préférez.

La famille veut s'assurer que l'expertise de la FQCK est reconnue par tous les intervenants, et si une entreprise offre des forfaits guidés en canotage, il est essentiel que les employés obtiennent les brevets requis par la Fédération.

Il y a eu beaucoup d'efforts pour élaborer ce rapport et nous allons faire tout ce qui est en notre pouvoir pour que les intervenants concernés s'en inspirent afin d'édicter des normes de sécurité qui seront respectées par tous les intervenants.

Il y a beaucoup d'organismes touchés par ce rapport et il va falloir qu'ils se concertent si on veut aboutir à quelque chose. Du succès de leur concertation dépend le succès du développement de ce genre d'activité touristique. Il faut que les guides soient à la hauteur de la confiance que les gens mettent entre leurs mains. Dans notre cas, ce sentiment de fausse confiance aura été fatal.

En terminant, j'aimerais vous dire que mon plus cher désir, c'est qu'un jour j'aie le sentiment que le sacrifice de la vie de mon neveu Raphaël aura servi à prévenir d'autres accidents comme le sien.

Pour moi et tous ceux qui l'ont connu, et plus particulièrement ses parents et son frère Antoine, son absence sera alors plus facile à supporter.

Merci. »

Ma vue embrouillée par les larmes et le nœud que j'avais dans l'estomac ont rendu difficile la lecture de la fin de mon texte.

En prononçant ces paroles, je savais très bien que c'était le souhait le plus cher à la famille de garder la mémoire de Raphaël en vie en nous impliquant avec la société de sauvetage, mais je sentais aussi que la blessure était trop présente pour contribuer activement à une cause.

Je suis une personne publique qui s'est fait connaître ironiquement par ses prouesses dans un sport aquatique. Je ne me sentais pas humainement la force de soutenir et de parler publiquement de cette épreuve.

Après la sortie du rapport du coroner au printemps 2004, le point de presse derrière nous et malgré toutes les bonnes intentions que j'avais de sensibiliser la population pour éviter un drame comme celui que nous avions vécu, je me suis sentie épuisée émotivement. Je savais très bien que je n'avais pas l'énergie ni le désir d'aller au front pour changer des lois, des règles ou de rencontrer des ministres pour raconter ce que nous venions de vivre comme famille.

La naissance d'Alexis au printemps 2004 a apporté un baume à France, Jean-François et Antoine. Quelques semaines après le dépôt de l'enquête du coroner, France a en effet donné naissance à un beau garçon. La vie reprenait ses droits. On peut presque qualifier l'arrivée de cet enfant de miracle, car France a connu des problèmes de fertilité sévère et a eu beaucoup de difficulté à tomber enceinte d'Antoine. Je me souviens de la peine qu'elle avait en voyant la famille s'agrandir de petits-enfants chaque Noël. L'arrivée d'Antoine en 1995 et de Raphaël deux ans plus tard a fait la joie de toute la famille.

Après le départ de Raphaël, France et Jean-François ont souhaité avoir un autre enfant. Elle avait 39 ans, les médecins n'étaient pas très optimistes, mais le miracle de la vie s'est manifesté. Treize mois après le décès de Raphaël, elle était enceinte d'Alexis. Quelques mois avant sa naissance, Gilles et moi avons accueilli avec beaucoup d'émotion la demande de mon frère et France d'être parrain et marraine de ce petit garçon. Comme s'ils nous donnaient leur confiance après tout ce que nous avions vécu ensemble. Cette délicatesse m'a profondément touchée. Leurs deux enfants auront toujours une place bien spéciale dans notre cœur. Alexis est un beau grand adolescent de 14 ans. Musicien de talent, il joue de la flûte traversière depuis plusieurs années.

La vie reprenait tranquillement son cours, mais il a fallu attendre plus d'une décennie avant d'en reparler sur la place publique de façon volontaire. Il a fallu attendre que nous soyons tous prêts.

CHAPITRE 5

Escapade à Las Vegas

ÉTÉ 2003. LA FIN DES CLASSES APPROCHE, LES FILLES avaient toujours très hâte de planifier les vacances de camping avec leurs cousins. Gilles et moi sommes de retour des deux dernières journées de l'enquête du coroner à Québec. Nous n'avons pas assisté aux séances précédentes, mais Jean-François et France nous ont tenus au courant au fur et à mesure que les témoignages défilaient. Plus on m'informait de l'insouciance des organisateurs et plus mon anxiété augmentait. L'inconscience du danger de cette rivière causé par les embâcles et sa sinuosité. L'inconscience qui a entraîné de la négligence, qui a causé un drame. Ils ont entendu les témoignages d'experts qui ont confirmé toutes les erreurs commises du début à la fin de notre randonnée en canot.

Tout ce qu'on ressentait depuis quelques mois leur a été confirmé lors de l'enquête. Tous les éléments étaient présents pour qu'une tragédie arrive. La tempête parfaite, et nous étions dedans. Il restait maintenant à attendre le rapport du coroner, qui allait être déposé neuf mois plus tard.

Être parent, c'est aussi avoir l'aptitude de passer d'un état d'esprit à un autre en une fraction de seconde. Malgré notre colère, en route vers la maison où nous attendent les filles, on discute des vacances estivales. Le 27 juin, depuis des années, la tente-roulotte est généralement bien ouverte sur le côté de la maison, le linge des enfants bien rangé à l'intérieur, les maillots de bain et les jeux aussi. Cette année, je n'ai pas l'esprit ni l'énergie de partir à l'aventure dans un camping du Québec comme nous le faisons depuis les trois dernières années, France, les enfants et moi. Je nous revois saluant nos maris avant le grand départ avec la tente-roulotte, les vélos sur le toit de l'auto et le kayak de mer. On riait, on avait de l'énergie à revendre et on se trouvait privilégiés de profiter de l'été et de s'accorder ce temps précieux avec nos enfants.

Nos journées étaient toujours bien remplies. Nous étions tous levés à 6 h 30, question de profiter à fond de nos belles journées de plein air. Randonnées en montagne, baignades dans le lac, kayak de mer, bicyclette : nous n'étions jamais à court d'idées. À 21 h, les enfants étaient tous endormis. France et moi profitions alors de ces moments de tranquillité pour lire quelques pages avant que l'épuisement nous gagne aussi. On nous trouvait bien courageuses de partir ainsi avec

5 enfants de moins de 10 ans ensemble. Nous avions tellement de plaisir, au contraire !

Nos maris venaient nous rejoindre habituellement une semaine plus tard, en train ou en autobus, selon la région du Québec où nous nous étions rendus. Les enfants étaient toujours très heureux d'aller chercher leur papa à la gare et de poursuivre le reste du voyage en famille.

Mais en ce printemps 2003, rien n'est comme avant. En observant la tente-roulotte encore dans la cour avec des feuilles d'automne sur le toit, je réalise que je n'ai plus l'élan ou le désir que j'ai toujours eus de planifier les prochaines vacances. Il y a ce sentiment de responsabilité que je ne peux plus assumer. Je me demande : « Et s'il se produit un autre accident ? »

Au fond de moi, je voulais partir loin, seulement avec ma famille. Sans trop y réfléchir, j'ai lancé à Gilles que j'aimerais qu'on aille dans l'Ouest américain, plus précisément à Las Vegas pour visiter Pierre Lacroix et sa femme, Colombe (Coco pour les amis), ainsi que la sœur de Gilles qui vit là-bas depuis des années avec son mari et ses enfants. Pierre a été mon agent de 1984 à 1994, année où il est devenu directeur général des Nordiques de Québec. Depuis, nous sommes toujours restés très proches, bien qu'il ait déménagé au Colorado avec la nouvelle équipe des Avalanches.

J'avais besoin de partir, de me retrouver avec des gens auxquels je n'avais pas à raconter sans cesse le drame qu'on avait vécu. Je voulais juste un peu de joie et de bonheur pour les enfants, changer d'atmosphère, briser la tradition des voyages avec France et Jean-François. Je me sentais mal vis-à-vis de France, mais elle a très bien compris qu'on ne pourrait plus recréer la magie des années passées après ce qui s'était produit et que la meilleure façon de surmonter notre peine était de repartir à zéro.

Mes parents m'ont accompagnée pour la première portion du voyage avec les filles. Nous avons loué un véhicule pour voyager de Las Vegas jusqu'à Phoenix.

Catherine, Annabelle et Florence étaient heureuses de passer du temps avec leurs grands-parents. J'habite Montréal depuis l'âge de 18 ans. Mes parents, qui vivent toujours dans la région de Québec, ont moins la chance de partager beaucoup de temps avec mes filles, de bien les connaître. Cette semaine de vacances avec eux nous a fait du bien à tous, mais mon anxiété persistait. Elle me suivait partout comme une ombre dont je ne pouvais me débarrasser. Je me souviens d'avoir été assise dans un parc, à Phoenix, et, en regardant mes parents jouer avec mes enfants, de m'être demandé si j'allais un jour passer au travers.

Je n'avais plus d'énergie. Parfois, j'avais peur d'étouffer et ma respiration devenait saccadée. Mon anxiété me suivait partout, mais je tentais de me contrôler pour que mes parents ou mes enfants ne s'aperçoivent pas de mon état. Je partage ces moments avec vous car, à 55 ans, je suis très consciente que nous sommes plusieurs à vivre ces moments d'anxiété incontrôlable. Je me sentais bien seule à l'époque puisque je ne voulais pas en parler. Comme personne publique, on veut toujours paraître sous son meilleur jour. Pas question de montrer ma vulnérabilité. Je suis forte !

Mes parents sont repartis après la première semaine et Gilles est venu nous rejoindre trois jours plus tard. J'en ai profité pour aller chez Pierre et Coco avec les filles, et passer du temps avec eux. Je me souviens d'une scène. Je suis assise dans la cour arrière pendant que les enfants s'amusent dans la piscine et j'éclate en sanglots, sans aucune raison, en entendant une chanson de Céline Dion qui jouait à la radio. C'est comme si ce petit moment de bonheur était trop puissant pour moi, après cette année de douleur. Pendant quelques instants, je me sentais bien, je revenais au monde. Et ce bien-être que je craignais de ne plus connaître était là, bien présent. L'émotion est montée bien naturellement. Pierre Lacroix, qui est tellement sensible, a eu les yeux pleins d'eau juste en me regardant pleurer. Sa femme et lui ne m'ont pas posé de questions sur l'accident. Ils ont respecté mon silence et je leur en étais reconnaissante.

J'ai réalisé la place importante que ces deux-là occupent dans ma vie malgré la distance physique qui nous sépare depuis plusieurs années. Je me vois encore, à 20 ans, cogner à la porte de leur maison à Laval puisque Pierre m'avait invitée à souper chez eux pour rencontrer Coco et leurs deux fils, Éric et Martin, qui avaient alors respectivement 13 et 14 ans. Ils m'ont accueillie dans leur famille comme si j'étais leur fille, leur sœur. C'est probablement cette émotion qui m'a fait pleurer ce matin de juillet 2003 à Las Vegas. Juillet, il fallait passer à travers le mois de juillet. Je pensais beaucoup à France et Jean-François.

J'avais mentionné à Pierre que je souhaitais emmener les filles au spectacle de Céline Dion, en précisant qu'il n'y avait plus de billets sur le marché pour la date qui nous convenait avant notre retour à la maison.

Il a appelé son ami René Angélil pour lui fait part de notre visite et de notre désir d'aller voir le spectacle de sa célèbre épouse au Caesars Palace. Pierre et Coco n'ont fait ni une ni deux. Ils ont même organisé une chasse au trésor pour les filles. Le cadeau ultime ? Quatre billets pour Céline, bien cachés dans le piano du salon. Encore une fois, j'ai pleuré en voyant le bonheur sur le visage des filles. La veille, elles avaient insisté pour que nous trouvions des places pour le spectacle du lendemain. Il faut préciser qu'elles ont la chance de connaître la chanteuse québécoise depuis qu'elles sont toutes petites. Lorsque je me suis associée à Pierre Lacroix, il était voisin de bureau de René Angélil, son grand ami. Céline Dion avait à peine 16 ans et entamait sa fabuleuse carrière.

C'est à ce moment-là que j'ai fait connaissance avec elle. J'étais médaillée d'or olympique depuis quelques mois, retraitée du sport à 20 ans. Céline, elle, prenait son envol. J'accrochais mon maillot et elle rêvait des grandes scènes. Nous étions à l'opposé dans nos carrières. Je l'ai toujours admirée de loin, même si la vie ne nous a pas réunies souvent. Il y a un lien particulier qui nous rassemble : nos agents et nos rêves qui nous ont menées loin, très loin.

Mes filles sautaient de joie dans le salon : nous allions voir Céline le lendemain et René nous avait invitées à souper avant le spectacle. Je me suis considérée comme tellement privilégiée par la vie. Au moment où j'avais le plus besoin de soutien, d'amour, mes amis étaient là.

René, Pierre, Coco, Martin, leur fils, les filles et moi sommes tous assis ensemble au restaurant, quelques heures avant le spectacle. René prend place immédiatement à mes côtés. Je sais que Pierre lui a raconté l'histoire de Raphaël, mais il reste très respectueux aussi face à notre deuil. Il me complimente sur mes filles, ce qui me fait plaisir, évidemment. Je réagis comme toutes les mamans et je suis bien fière de mes filles. Elles ont 7, 10 et 11 ans à ce moment. Elles sont pleines de vie et ont juste hâte de sortir de table pour se rendre à la boutique de souvenirs de Céline. Gilles et moi avons instauré une façon de gérer les demandes incessantes des enfants pendant l'été. Elles ont un « budget été ». On leur donne 50 $ au début de l'été et elles peuvent en faire ce qu'elles veulent. Chaque fois qu'elles nous demandent d'acheter quelque chose, on leur rappelle qu'elles ont un budget pour satisfaire leur désir.

Je ne me souviens plus exactement des montants qu'il leur restait ce soir-là, mais René a souri lorsque les filles lui ont dit, par exemple, « Il me reste 22,30 $ », « 26,45 $ » et « 30,41 $ ». Elles savaient précisément ce qu'il leur restait. Gilles, leur papa, est administrateur et c'est lui qui veillait au budget. Chaque matin en se levant, elles lui demandaient le montant disponible dans leur cagnotte. Ce soir-là, c'était évident qu'elles comptaient vider leur portefeuille.

Au moment où le dessert nous a été apporté sur la table, René Angélil a regardé les filles et leur a proposé d'aller magasiner avec lui. Vous n'avez jamais vu trois filles se lever de table aussi rapidement ! Plus rien n'avait d'importance. René m'a regardée avec un grand sourire. Je lui ai dit : « C'est toi qui gères. » La mère en moi avait perdu le contrôle ! Je n'existais plus.

Il a compris rapidement que le dessert allait rester sur la table, parce que les filles étaient déjà en route vers la boutique ! Je les suivais de loin, avec les yeux pleins d'eau, j'étais tellement émotive depuis un an. Je pleurais pour un rien, joie ou peine, mes émotions étaient à fleur de peau. J'entendais le rire de Pierre derrière moi. René et lui observaient les filles courir et se faufiler à travers la foule qui se dirigeait vers la salle. Il restait 30 minutes avant le début du spectacle et René avait aussi prévu de nous emmener voir Céline dans sa loge avant le lever du rideau. J'ai regardé l'heure et je me suis demandé comment nous allions faire tout ça avant d'aller nous asseoir à nos places. Ce n'est plus mon problème. J'ai deux très bons agents d'artistes et d'athlètes qui devraient être capables de tout organiser dans les temps requis. Je lâche prise !

Avant même d'entrer dans le magasin, c'était déjà la cohue autour de René. Des dizaines d'admirateurs l'entouraient pour attirer son attention. Je suis restée à la porte avec Pierre et Coco et je lorgnais les filles au loin. Elles avaient déjà les bras chargés de dizaines d'objets de toutes sortes. Chandails, chandelles, porte-clés... J'avais l'impression qu'elles participaient à l'une de ces émissions de télé américaines dans lesquelles les concurrents doivent mettre le plus d'objets possible dans un panier dans un délai précis. Je riais au début. Mais au bout de cinq minutes, en voyant que René ne contrôlait pas du tout la situation puisqu'une foule l'entourait, je me suis rapprochée de lui pour lui dire qu'il y avait trois filles « en folie » dans le magasin et que je n'avais aucune intention de les arrêter. Elles m'en auraient voulu pour le restant de mes jours. René avait eu le malheur de leur dire : « Prenez ce que vous voulez. » Lorsque les objets tombaient de leurs bras parce que ça débordait, elles couraient pour tout déposer sur le comptoir de la caisse. Il y avait trois piles qui grossissaient à vue d'œil. René a bien vu que la caissière ne comprenait pas trop ce que se passait avec ces trois belles frimousses animées par l'abondance.

René a finalement parlé. Il leur a demandé combien d'amis elles avaient pour vouloir autant d'objets. C'est là que j'ai éclaté de rire. Mes filles ont commencé à énumérer le nom de tous leurs camarades de classe. Elles avaient 28 amis chacune. On a tellement ri de la situation que René leur a donné cinq dernières minutes pour trouver le morceau rare qu'elles désiraient. Je n'ai jamais vu autant de sacs remplis de ma vie. On a tout laissé dans le « *back-store* » et nous sommes allées récupérer le tout après le spectacle.

Il est 19 h 25 et le spectacle commence à 19 h 30. On se précipite vers la loge de Céline. René entre et demande aux filles de le suivre. Et là, encore une fois, je laisse mes filles vivre ce beau moment. Céline est maman depuis peu, René-Charles a alors deux ans. Elle a toujours été très sensible aux enfants et l'attention qu'elle porte à chacune de mes filles me touche. Catherine, Annabelle et Florence lui racontent tout ce qu'elles ont acheté, ou plutôt que René a acheté, et elle a aussi un fou rire lorsqu'on lui raconte la foire dans le magasin.

Son frère qui s'occupe d'elle depuis toujours s'approche pour lui dire qu'elle devrait être sur scène depuis cinq minutes. La course reprend pour nous. L'équipe technique attend que nous regagnions nos sièges avant de donner à Céline le signal du début du spectacle. Pierre et Coco, des habitués de la place, nous guident rapidement. Nous sommes assis à quelques rangées de la scène. Quinze secondes plus tard, Céline est devant nous. Les larmes coulent tout doucement sur mes joues. Mes filles sont tellement heureuses.

Cette belle soirée nous permet d'oublier pendant quelques heures. Nous sommes allées sur la scène pour prendre des photos après le spectacle. Les sacs bien remplis nous attendaient au magasin. Nous sommes repartis la tête chargée de beaux souvenirs qui sont encore très frais dans ma mémoire. René Angélil, cet homme généreux, aura toujours une place importante dans mon cœur. Nous avons eu des souvenirs de Céline, de cette soirée d'achats compulsifs pendant plus de dix ans. On en rit encore aujourd'hui.

Nous sommes allées chercher Gilles à l'aéroport quelques jours plus tard. Les trois filles étaient vraiment heureuses de retrouver leur père. Quelques jours avant notre départ pour les États-Unis, les filles étaient déterminées à teindre les cheveux de Gilles en blond. C'était la mode des cheveux « bleachés » et elles s'étaient mis dans la tête que Gilles, leur papa, serait très beau les cheveux blonds. Il a eu tellement peur qu'elles passent à l'action : à chaque appel depuis le début du voyage, elles lui rappelaient que la teinture allait se faire dès son arrivée à Vegas. Il a décidé d'aller voir notre amie Carolyne, qui est coiffeuse, pour qu'elle le « bleache » de façon professionnelle. Gilles, le gars tellement conservateur, a voulu faire rire ses filles et moi, donc. En écrivant ces lignes, je réalise à quel point nous voulions retrouver un semblant de vie normale avec nos enfants. Le reste des vacances, on riait chaque fois que Gilles enlevait sa casquette. On se souviendra à jamais du blond platine comme du plus beau coup de tête de nos vacances.

Il m'aura fallu m'éloigner de la vie d'avant pour apprendre à vivre autrement. Je pensais régulièrement à France, Jean-François et Antoine. Je me demandais ce qu'ils faisaient, ce qu'ils devenaient ; j'aurais voulu qu'ils soient avec nous, mais en même temps, je n'étais pas prête. Être avec eux me rappelait trop Raphaël, et tout doucement s'installait ce que je m'étais promis : plus jamais je n'allais organiser des voyages avec des membres de ma famille, jamais je n'aurais pu me pardonner un deuxième accident. Ce sentiment est resté longtemps ancré en moi. La peur que quelque chose arrive à un membre de ma famille était plus forte que le plaisir que je pouvais retirer d'une activité.

Nous avons terminé nos vacances en traversant la Vallée de la mort, puis jusqu'à Los Angeles, où je suis retournée voir, avec les enfants, la piscine où j'ai vécu de si beaux moments dans l'eau en 1984. Je suis montée sur le tremplin en vêtements de ville, seulement pour revoir, sentir et revivre, 19 ans plus tard, mon plongeon pour la médaille d'or. Les autres plongeurs qui étaient en entraînement m'ont observée d'un regard interrogateur jusqu'à ce que je leur raconte mon vécu sur ce tremplin, cette piscine, cette eau, ce lieu qui restera gravé dans ma mémoire pour la vie.

Nos vacances achevées, il était temps de rentrer à la maison pour préparer la rentrée scolaire et le retour au travail. La tente-roulotte est restée dans la cour comme tous les autres étés qui ont suivi. On l'a vendue quelques années plus tard. Les souvenirs de bonheur en famille avec Raphaël étaient trop présents pour retourner camper avec les enfants.

Il a fallu attendre une dizaine d'années avant de retrouver le plaisir de ce mode de vie en camping.

CHAPITRE 6

Raphaël, l'étoile filante

COMMENT RÉSUMER LA VIE DE RAPHAËL ? IL EST PASSÉ comme une étoile filante. Lorsqu'on lève la tête vers le ciel, nous sommes tous émerveillés par l'étoile qui passe, on sourit, on s'exclame et elle disparaît. Voilà la vie de Raphaël. Un clin d'œil, un coup de vent, une étoile filante !

Ses parents, frères, cousins, cousines et grands-parents ne comptent plus les anecdotes mémorables à son sujet.

Il était notre mascotte, il faisait beaucoup rire les cousines et son frère. Il était le bébé de 12 petits-enfants, le fils de France et Jean-François, le frère d'Antoine, le petit-fils de Raymond Bernier, d'Huguette Bernier, d'Antonin Rochette et de Lise Rochette, le cousin de Maxime, Alexandre, Myriam, Félix, Catherine, Annabelle, Florence, Simon, Stéphanie et

Michaël. Il était aussi le neveu de plusieurs oncles et tantes. Il était l'ami de tous les enfants du CPE du Bilboquet. Son départ a affecté toute sa famille.

J'étais la tante de Raphaël et mes souvenirs les plus chers sont ceux que nous avons vécus en vacances, en camping au Québec. Le seul moment dans l'année où nous pouvions réunir les enfants était la période estivale puisque France, comme enseignante au cégep, était en vacances et que je prenais aussi un temps d'arrêt pendant cette même période.

Raphaël voulait toujours être près de ses trois cousines. Quand nous étions en route pour les vacances familiales, il était la plupart du temps assis dans notre voiture, dans son siège d'appoint, et une de mes filles allait dans la voiture de France avec Antoine. Puisque nous faisions de longues distances pour nous rendre dans les beaux coins du Québec, il était aussi plus facile en séparant les familles de limiter le chamaillage du style « ne dépasse pas la ligne imaginaire entre ton espace et mon espace ». Pour nous, cela faisait aussi différent d'avoir un garçon avec nous pour quelques heures.

Il aimait tout ce qui avait un moteur, comme bien des petits garçons. Du haut de ses cinq ans, il avait un regard très orienté vers le futur et son avenir. Il disait souvent « quand je vais être plus grand et plus vieux, je vais avoir un motorisé, un camion de livraison, un bateau, une moto, un kayak », etc. Ses désirs motorisés variaient au gré de ce qu'il apercevait.

Je souris tendrement en repensant au motorisé de feu monsieur Larocque, alors que nous séjournions à L'Anse-

Saint-Jean, au Saguenay. Tous les matins, Raphaël allait le visiter. Il s'assoyait sur le siège du conducteur et, en tournant le volant de gauche à droite, il regardait M. Larocque pour lui demander: «Ça coûte combien?» Sans même attendre la réponse – qui ne serait jamais venue –, Raphaël lui lançait d'un air sérieux et convaincant: «Quand tu vas le vendre, je l'achète!»

Mon amie Suzanne est venue nous rendre visite en moto sur ce même camping, Raphaël a fait exactement la même chose en grimpant sur le siège de la moto. Les deux mains sur les guidons, il l'a regardée en lui disant «j'en veux une pareille». Ses parents, qui ne se tenaient jamais bien loin de lui, avaient toujours un sourire lorsque Raphaël nous annonçait qu'il voulait encore acheter quelque chose. «Pas des petites choses, des grosses affaires avec des gros moteurs.»

D'un camping à l'autre, d'une région du Québec à l'autre, il exigeait qu'on mette la chanson qui le faisait danser dans son siège juste derrière moi. *L'argent fait le bonheur*, des Respectables. Ça le rendait tellement heureux qu'il fallait s'assurer que les sangles de son siège étaient bien ajustées, sinon il se levait pour danser dans la voiture. Les cousines étaient toujours crampées devant son enthousiasme lorsqu'il chantait à tue-tête cette chanson. France avait une cassette dans sa voiture et nous en avions une dans la nôtre, puisque ça lui prenait sa «toune» pour agrémenter la route. Même son grand-père Antonin riait aux éclats lorsqu'il entendait son petit-fils chanter le refrain des Respectables.

L'argent fait le bonheur, l'argent
On peut dire ce qu'on peut
Mais l'on ne fait pas ce qu'on veut
Sans l'argent
Oui, l'argent fait le bonheur

Raphaël assumait pleinement à cinq ans et demi qu'il voulait faire de l'argent pour acheter tout ce qu'il désirait. Il ne savait pas lire ni écrire, mais il savait qu'il allait faire de l'argent. C'était clair dans son esprit. Dans deux mois, il entrerait à la maternelle et allait suivre les traces de son grand-frère à l'école. Il avait hâte !

Dans la même journée, il avait acheté un motorisé, une moto et un bateau... à crédit ! Le bateau est venu en fin de journée puisque des amis sont venus nous chercher au quai pour aller faire un tour dans le fjord du Saguenay au coucher du soleil. Raphaël a encore une fois réussi à nous faire tous rire avec son « quand tu vas vendre ton bateau, je l'achète ! », du haut de ses trois pieds et avec sa petite voix de canard. Il avait une fascination pour les bateaux puisque son grand-père maternel travaillait aux Îles-de-la-Madeleine depuis quelques années comme médecin. Il faisait du remplacement l'été et c'est la raison pour laquelle nous nous sommes retrouvés aux Îles à l'été 2001 avec toute la caravane – tente-roulotte, vélos, kayak, etc. Il avait plusieurs petits bateaux en bois qu'il traînait partout, même dans la voiture, lors de nos vacances.

Raphaël n'avait jamais assez d'heures dans une journée pour tout faire. Aller aux toilettes était une perte de temps, pour lui. France courait souvent après lui pour lui rappeler de faire un arrêt à la salle de bain avant de partir en voiture. Il faisait damner sa mère, par moments. Son siège étant derrière moi, je pouvais toujours jeter un coup d'œil sur lui grâce au rétroviseur. Un jour, il me regarde par le miroir et me dit: « Sylvie, j'ai envie de pipi, est-ce qu'on peut s'arrêter s'il te plaît ? » Je lui réponds : « Avec plaisir, Raphaël, donne-moi quelques minutes pour que je trouve une station-service ou un dépanneur avec un assez grand stationnement pour pouvoir entrer et ressortir avec la voiture et tente-roulotte… »

Il me fallait de l'espace pour bien manœuvrer. En activant mon clignotant pour annoncer que je tourne à gauche, il me demande où on va, je lui réponds que je m'arrête pour qu'il aille aux toilettes et il me répond très sérieusement qu'il n'a plus envie avec un beau sourire. Les cousines assises à côté de lui ont éclaté de rire en lui disant: « Non ! T'as pas fait pipi dans le siège ? » Il leur a rétorqué : « Oui, c'est quoi, le problème ? Je l'ai dit, à Sylvie, que j'avais envie. J'ai plus envie. » Ça, c'est Raphaël.

On s'est arrêtés, mais plutôt pour nettoyer le siège et le changer. Oui, il faisait damner sa mère par moments et avec raison.

Mes filles m'ont rappelé récemment comment il nous faisait rire lorsqu'il nous disait que son « réacteur était en marche » lorsqu'il laissait aller des petits « gaz » dans l'auto ou dans la tente-roulotte.

Il faisait rire tout le monde. Sa mère, France, a encore en tête tous ses mots, souvent irrésistibles. Quand il regardait les autos de livraison du resto Saint-Hubert, Raphaël lui demandait s'il allait pouvoir, lui aussi, mettre un coq sur le toit quand il aurait enfin son auto.

« Quand toi et papa allez être morts, est-ce que ça veut dire que moi et Antoine on pourra vivre dans la maison et avoir votre auto ! » a-t-il un jour demandé à sa mère. Impatient de conduire, il cherchait souvent à savoir quand il pourrait enfin le faire. « À 18 ans », répondait patiemment sa mère... plutôt que de dire 16 ans comme la loi le permet. « Est-ce que tu vas m'y faire penser, maman, quand j'aurai 18 ans ? » a-t-il ajouté.

Un jour, à Saint-Élie, près de Sherbrooke, son frère Antoine lui a montré un camionneur qui entrait dans un resto-café coiffé d'un chapeau de cowboy. Raphaël a regardé par la fenêtre puis a dit : « Mais il est où, son cheval ? »

En vacances, tous les matins, il partait faire le tour du camping pour aller saluer amis et famille qui nous rejoignaient ici et là pendant notre voyage. Aucune gêne ne l'arrêtait. Il entrait dans le motorisé ou dans la tente pour demander aux campeurs ce qu'ils offraient pour le déjeuner. On pouvait le chercher pendant 10 minutes et le retrouver bien assis dans un motorisé à manger son déjeuner parce que son choix s'était arrêté là. Des œufs et du bacon bien assis dans le motorisé.

Il aimait rouler à bicyclette et faisait tellement d'arrêts brusques que mon frère pouvait changer la roue arrière de deux à trois fois en un seul été. Lors de ces escapades à vélo, il partait à la recherche d'arbres qui pouvaient bien se grimper. Son problème? Le même que les chats! Il se retrouvait souvent coincé en haut, ne sachant trop comment redescendre. Encore une fois, on le cherchait partout dans le camping pour finalement le retrouver juché dans un arbre avec une des cousines. Sur l'une des dernières photos que nous avons de lui, on le voit justement perché sur un arbre. Pour immortaliser cette scène, je lui avais demandé d'être patient, puisque je devais retourner à la tente-roulotte chercher mon appareil. Il n'était pas content d'avoir à m'attendre. Cette photo m'est très précieuse.

Le 23 juillet, la dernière soirée que nous avons passée tous ensemble, nous avons soupé dehors autour de la table à pique-nique tout près de l'aire de jeux. Il y avait une pergola où les enfants s'amusaient beaucoup. Raphaël avait en tête d'organiser un mariage avec une de ses cousines. Ça faisait deux fois qu'il en parlait. La première fois, il avait changé d'idée à la dernière minute. «Pas le temps aujourd'hui!» avait-il dit. Le 23, à l'heure du souper, les enfants ont décoré la pergola avec des guirlandes et ils ont célébré le mariage. Ils sont arrivés près de nous main dans la main et nous ont dit qu'ils partaient en voyage de noces. Il est revenu en courant au bout de deux minutes de marche et nous a dit: «C'est bon, je l'ai vécu.»

La veille de l'accident, Raphaël a posé deux questions troublantes à sa mère. « Quand on meurt, est-ce qu'on revient à la vie ? » « As-tu signé ma carte d'assurance maladie pour le don d'organes ? » Il n'a pas attendu les réponses puis est reparti jouer dans le parc.

CHAPITRE 7

Un voyage d'éveil

SEPTEMBRE 2017 À DÉCEMBRE 2018

NOS TROIS FILLES SONT MAINTENANT DE JEUNES ADULTES. Elles vont bien et volent de leurs propres ailes, malgré quelques inévitables petits retours au bercail les fins de semaines, ce qui nous fait bien plaisir. Les années ont défilé comme un train qui roule à vive allure. Mon père et ma mère, respectivement âgés de 90 et 86 ans, m'ont souvent répété que plus on vieillit, plus les années passent vite. Je ne comprenais pas trop ce qu'ils entendaient par là. Avec le temps, je constate qu'ils ont raison. Désormais seuls à la maison, mon mari, Gilles, et moi pouvons enfin penser à nous sans avoir à nous soumettre à un horaire rempli par les activités des enfants et notre vie professionnelle. Nous vivons un nouveau départ. C'est comme ça que je me sens à l'automne 2017.

Avant d'avoir des enfants, je ne réalisais pas que le temps était la ressource la plus précieuse, avec la santé, bien sûr. Aujourd'hui, chaque minute qui m'appartient est une grâce. Je la savoure et j'en prends conscience. On a tellement couru après le temps dans les jeunes années de nos enfants. Il m'arrivait de regarder l'horloge sur le mur et de rêver de m'accrocher aux aiguilles pour les empêcher de faire tic-tac quelques minutes, histoire de m'asseoir sur le divan et de regarder le temps passer avec Gilles. Nous ne sommes pas les seuls. Tous les parents vivent cette situation. Trois enfants en moins de quatre ans : on devrait en faire une discipline olympique.

À ce propos, je me souviens d'avoir dit à mon entraîneur, quelques mois après la naissance de Florence, la troisième, que s'entraîner pour les Jeux olympiques, ce n'est rien à côté de ce que nous vivions Gilles et moi à ce moment-là. J'en ris aujourd'hui.

Puisque j'étais travailleuse autonome et qu'il était plus difficile de prendre mon congé de maternité, nous avons même planifié la naissance de nos enfants de manière à ce qu'ils viennent au monde entre les années olympiques. En écrivant ces lignes, je réalise à quel point la vie a été bonne pour nous. À cette époque, je travaillais à la télévision et à la radio comme analyste aux compétitions de plongeon ou encore comme chroniqueuse lors des Jeux olympiques. Catherine est donc née en 1991, avant les Jeux de Barcelone (1992). Annabelle a vu le jour en 1993, soit entre les Jeux d'hiver d'Albertville (1992) et ceux de Lillehammer (1994). Pour sa part, Florence est née en 1995, l'année avant les Jeux olympiques d'été d'Atlanta (1996). Cet été-là, cependant, je ne suis pas allée aux Jeux. Mon mari a, bien légitimement, exercé son droit de veto. « Trois bébés à la maison… Tu restes avec moi ! » m'a-t-il priée. Il y a des limites à abuser de la bonté de mon mari !

Ma première décision consciente, maintenant que j'ai un peu de temps, a été de retourner plus régulièrement dans la pièce que j'ai aménagée dans ma maison afin de méditer et de me retrouver en tête à tête avec moi-même. Depuis le décès de Raphadou, la méditation a pris une certaine place dans ma vie, mais pas encore la place que j'aimerais lui laisser. Je sais et je sens les bienfaits que ça m'apporte et je désire aller au bout de ce cheminement.

Je jouis enfin d'un peu de temps, malgré une vie professionnelle encore bien remplie. Je n'ai pas l'impression de travailler, malgré les longues heures que j'y accorde au quotidien. Je sensibilise tous ceux qui sont en position décisionnelle – premier ministre, ministres, députés, maires, directeurs d'école, ingénieurs, architectes, urbanistes, etc. – pour faire en sorte de modifier les environnements qui nous entourent afin que ce soit facile d'avoir un mode de vie physiquement actif et une saine alimentation…

Ce désir de me retrouver et de vivre plus consciemment m'amène à reprendre là où j'avais laissé mon incursion dans la vie spirituelle.

Lors de mon séjour à Ibiza, en septembre 2002, une petite ouverture à ce monde plus subtil s'est produite. Mais la frénésie du quotidien m'a happée dès mon retour à la maison et a fait en sorte que la porte s'est refermée rapidement et fermement.

L'intuition m'y ramène. Pourquoi? Sans doute parce que l'intuition m'a déjà guidée et amenée à prendre des décisions qui ont parfois changé le cours de ma vie. Des décisions heureuses, que je n'ai jamais regrettées.

Je pense à celle prise en 1982, alors que j'avais à peine 18 ans. Du jour au lendemain, j'ai annoncé à mes parents que je déménageais à Montréal pour poursuivre mon entraînement en vue des Jeux olympiques de Los Angeles. J'étais poussée par un sentiment très fort, une intuition, appelez cela comme vous voulez. Il reste qu'en l'espace de quelques semaines, j'ai changé de ville, de cégep, de piscine et d'entraîneur. J'ai changé ma vie du tout au tout à 18 mois des Jeux olympiques. J'avais pourtant une existence heureuse et sécurisante à Québec, avec ma famille, mais mon «*gut feeling*» a pris le dessus. Je plongeais dans le vide.

Dès les premières semaines de ma nouvelle vie à Montréal, j'ai commencé à lire *La puissance de votre subconscient. Le secret d'une force prodigieuse à votre portée*, du Dr Joseph Murphy, auteur qui a vendu des millions d'exemplaires à travers le monde. J'avais trouvé ce livre dans une librairie dite «ésotérique» au début de 1983. À l'époque, les livres de spiritualité ne se trouvaient pas facilement dans les grandes librairies et on les confinait aux établissements spécialisés dans les questions ésotériques. Heureusement, les choses ont changé.

Je cachais soigneusement cet ouvrage sous mon matelas lorsque mes parents venaient me visiter à Montréal. J'avais peur qu'ils pensent que j'étais tombée sur la tête... Il reste que j'affirme haut et fort que le livre du Dr Joseph Murphy m'a permis de réaliser mon rêve en 1984, j'en suis convaincue 35 ans plus tard.

À l'automne 2017, pour la première fois depuis ma retraite sportive, j'ai retrouvé ce livre qui a changé ma vie à 20 ans. Toutes les annotations et tous les surlignages que j'y retrouve représentent le point de départ de la technique de visualisation que j'ai développée dans ma dernière année d'entraînement à Montréal. Cette approche, combinée à la musique que j'écoutais avec mon « walkman » jaune, a été l'ajout aux heures d'entraînement physique qui a eu un impact aux Jeux. J'en suis profondément convaincue. J'ai gagné par 3 points sur 530 points, l'équivalent d'une goutte d'eau ou d'un gros orteil mieux pointé. Ma préparation psychologique a fait pencher la balance, c'est clair dans mon esprit.

La visualisation est totalement intégrée dans ma vie depuis l'âge de 19 ans. J'ai souvent besoin de voir une situation dans mon esprit avant qu'elle se réalise. La méditation est tout simplement un autre mot pour parler d'à peu près la même chose. Voir, sentir, entendre et vivre un moment ou une situation sans l'avoir vécu dans la réalité. Les émotions deviennent tellement réelles qu'on a l'impression de vivre ce moment en étant bien assis, seul, à la maison ou ailleurs.

Le podium à Los Angeles en 1984, je l'ai vécu et il m'a fait vibrer des centaines de fois dans mon appartement 34, au 8200, rue Christophe-Colomb, Montréal. Des centaines de fois à pleurer en me voyant plonger et monter sur le podium. La puissance de notre subconscient, ce n'est pas de la théorie, pour moi : c'est du vécu. J'ai tellement pleuré en imaginant ma médaille d'or que le jour où je l'ai obtenue, tout le monde pleurait de joie sauf moi.

Des journalistes québécois présents à Los Angeles pourront en témoigner. La veille, je leur ai dit que je *savais* que j'allais gagner la médaille d'or. Je le leur ai répété en les regardant droit dans les yeux. Ils n'ont pas osé l'écrire, pour me protéger contre moi-même.

À l'automne 2017, désireuse de poursuivre ma quête spirituelle, j'ai décidé de rejoindre un groupe pour un voyage de « ressourcement », ce que je n'avais jamais fait dans ma vie. Je pars souvent pour le travail, mais je me suis rarement permis un voyage ou autre escapade seule, sans prétexte professionnel. Gilles et moi avions tellement peu de temps seuls tous les deux, depuis 25 ans, que chaque occasion qui se présentait à nous, nous partions ensemble.

Fin novembre, je me surprenais moi-même, assise dans l'avion vers le Mexique avec un groupe de 40 personnes qui s'envolaient pour un voyage d'éveil. Rien qu'en écrivant ce mot, je me demande quelle bulle m'est montée à la tête pour que je prenne la décision d'embarquer dans cette aventure. Mon père, scientifique pur et dur, m'a demandé, inquiet :

« Qu'est-ce que tu t'en vas faire là ? » Puis il a répondu lui-même à sa question, avant même que je puisse répliquer. « Est-ce que tu cherches l'invisible ? »

J'ai bien aimé cette réponse, car elle résume bien ma quête. Oui, en effet, c'est un grand plongeon dans le vide. Et oui, j'ai toujours été très curieuse de nature et je suis en quête de l'invisible. Pourtant, je fuis les voyages ou sorties de groupe depuis toujours. Mon côté « sauvage » m'amène plutôt à partir dans des lieux perdus dans le bois, là où je peux m'isoler avec mon mari. Je connais l'animatrice et sa sœur, puisqu'on a étudié ensemble au Collège Jésus-Marie, à Québec. Elles connaissent mon côté plus réservé. Malgré les apparences et ce que je dégage comme « personnalité publique », je suis une femme discrète et longtemps, mon travail public s'est avéré contre nature pour moi. D'où mon anxiété !

Pendant mes années de compétitions de plongeon, je vivais un stress qui m'était très bénéfique. J'adorais la pression que je ressentais avant une épreuve. Cela me donnait une grande dose d'adrénaline et un niveau de concentration que je ne retrouvais pas à l'entraînement. Ce stress très ponctuel me permettait de toujours mieux performer en compétition qu'à l'entraînement. Une fois l'épreuve terminée, je redevenais très calme et mon niveau de stress disparaissait.

Depuis mon retour de Los Angeles en 1984, je suis une personnalité publique, connue et reconnue. J'ai de la chance, car les gens se montrent toujours très gentils avec moi. Il reste que, par ma nature, j'ai besoin de préserver ma vie privée, comme un refuge, une protection.

Durant les premières heures avec ce groupe, je demeurais dans ma bulle, musique dans les oreilles et livre à la main. Pas très sociable, la fille ! Le premier matin, on nous demandait pourquoi nous étions là. J'ai répondu laconiquement : « Je veux évoluer comme personne. » Je n'avais pas d'objectif précis, si ce n'était de m'offrir du temps rien que pour moi.

Mais bon, la semaine se passait quand même très bien, entre les séances de yoga sur la plage au lever du soleil et les ateliers de toutes sortes jusqu'à midi, tous les jours. Le reste de la journée, je lisais sous un palmier, comme j'aime tant le faire.

Je pratique le yoga depuis quatre ans et j'en ressens de plus en plus les bienfaits. Depuis ma retraite du plongeon, j'ai essayé à peu près toutes les activités sportives et, à ce jour, je trouve que la pratique du yoga est le meilleur exercice pour moi, puisqu'il allie la gymnastique du corps et de l'esprit. C'est une réflexion très personnelle et je me considère comme privilégiée de pouvoir évoluer à mon rythme, sans compétition, dans cette discipline qui fait réellement du bien, même quand cela se résume à prendre le temps de respirer.

Le premier matin, une femme est venue me demander si je voulais aller nager dans la mer après la séance de yoga. J'avais parlé à peu de gens depuis notre arrivée dans le tout-inclus mexicain. Je me voyais mal lui refuser cette demande. Depuis Los Angeles, je suis identifiée à l'eau et plusieurs s'imaginent que je suis une grande nageuse. On m'appelle régulièrement Mme Fréchette, en pensant sans doute à Sylvie Fréchette, médaillée d'or en nage synchronisée à Barcelone, en 1992. Même mon mari s'est déjà fait interpeller par un retentissant « Bonjour, M. Fréchette ». Les gens se confondent en excuses lorsqu'ils réalisent qu'ils ont mélangé le sport ou l'année, mais je leur dis toujours que c'est tout à fait normal, car tout cela remonte à 35 ans !

Cette femme, Sophie, qui m'a approchée pour aller nager et que j'appelle aujourd'hui ma sirène, pratique la natation pour maintenir la forme et soigner son dos qui la fait souffrir.

Le lendemain de sa demande, j'ai mis mon maillot sous mes vêtements de yoga et nous sommes allées dans l'eau ensemble. Ce que je ne lui avais pas mentionné, c'est que j'avais une épaule blessée depuis au moins un an et que j'avais cessé de nager depuis plusieurs mois. Je voulais tout de même lui faire plaisir et l'accompagner dans cette baignade matinale. Lorsque j'ai eu de l'eau jusqu'à la taille, j'ai fait de la nage sur place en la regardant s'éloigner de la rive. Elle nageait en direction du soleil, vers le large. J'ai senti une boule d'angoisse me monter au ventre et à la gorge en l'espace de quelques secondes. Je m'entends encore lui dire calmement, lorsqu'elle a finalement fait demi-tour et est revenue vers moi, malgré mon anxiété intérieure : « Pourrais-tu nager en restant près de moi, demain matin, s'il te plaît ? » Elle a souri sans trop comprendre mon malaise et m'a répondu oui par un signe de tête et un beau sourire.

Le mercredi matin, j'ai pris conscience que la concentration n'y était pas pour le yoga puisque mon regard ne pouvait quitter Sophie, qui nageait de long en large devant nous tous. Je ne la quittais pas des yeux, comme une sauveteuse assise sur sa chaise qui fixe les baigneurs devant elle.

Je n'en ai pas fait de cas. Entre chaque mouvement, je relevais la tête, je vérifiais si tout allait bien et je reprenais la routine proposée par Annie, notre prof de la semaine. J'étais plus ou moins consciente du malaise que je vivais à observer Sophie nager comme un poisson dans l'eau. C'était de toute évidence une très bonne nageuse.

Le jeudi matin, je me suis installée à l'avant du groupe pour la séance de yoga. Sophie est passée tout près de moi dès le début de la séance pour m'aviser qu'elle allait à l'eau directement puisque son dos la faisait trop souffrir. Je lui ai dit que j'irais la rejoindre plus tard.

Tout le long de l'entraînement, comme les autres matins, j'ai gardé les yeux sur mon amie qui nageait dans l'eau turquoise. Il faisait beau, la mer était calme et le lever du soleil était magnifique.

Dernière posture : shavasana, « la posture du cadavre ». On doit maintenir notre attention sur notre corps complètement immobile. Les autres matins, je soulevais régulièrement la tête pour voir au loin, pour regarder Sophie, mais ce jeudi matin, je faisais vraiment le cadavre et j'ai oublié pendant quelques minutes la sirène qui nageait au loin. Au bout de cinq minutes de relaxation, j'ai relevé la tête puis regardé à droite, à gauche, devant moi, à droite et encore à gauche. J'ai figé sur place à chercher dans l'eau. Je me suis levée en me dirigeant vers la mer, le corps en état d'alerte, prête à plonger pour aller la chercher là où elle était, sous l'eau. Ce n'est pas possible, je ne peux pas croire que je vais revivre un autre drame dans l'eau, une autre noyade. Est-ce mon destin? C'est comme si tout mon corps en une fraction de seconde m'a ramenée sur l'embâcle, sur la rivière Nouvelle.

Les participants à la séance de yoga ont ramassé leurs tapis et serviette et étaient sur le départ. Je me suis retournée pour voir si j'étais la seule à avoir remarqué l'absence de Sophie. Elle était là avec les autres, derrière moi. Je l'ai vue, souriante dans son peignoir blanc, qui jasait avec une amie. Elle a croisé mon regard une fraction de seconde et s'est bien rendu compte que quelque chose n'allait pas. La seule phrase qui est sortie de ma bouche est: «Je te cherche. Sophie. Je te cherche.» Malgré moi, j'en suis certaine, mes yeux exprimaient du reproche. Elle s'est excusée en me disant qu'en passant près de moi pendant le «shavasana», j'avais l'air tellement bien qu'elle n'a pas osé me déranger.

Je me suis retournée vers la mer, je me suis pris la tête à deux mains et j'ai essayé de comprendre ce qui m'arrivait. Danielle, une autre participante à ce voyage qui était juste à ma gauche pendant la séance de yoga, m'observait depuis quelques minutes et a aussi compris qu'il venait de se passer quelque chose. Très calmement, elle m'a dit: «C'est correct, ce qui t'arrive.»

Je me suis interrogée. « Correct ? Que veut-elle dire ? Je ne comprends pas moi-même ce qui m'arrive. » J'ai marché vers l'océan. Je voulais que personne ne me voie pleurer. En état de choc, je ne peux contrôler mes tremblements ni mes pleurs. Je veux être seule, aller à l'eau, nager, plonger. France, l'animatrice des ateliers pendant toute la semaine, se dirige aussi vers la mer juste derrière moi, mais n'a aucune idée de mon état d'esprit non plus. Elle me lance en riant : « Allez la plongeuse, fais-nous une belle entrée à l'eau ! » Quand je me suis retournée vers elle, elle a vu mon visage démoli et s'est approchée en me disant tout simplement : « C'est pour ça que tu es ici cette semaine. Pour guérir, même si tu crois que tu es guérie. » Je ne comprenais toujours pas. Est-ce que cette réaction est vraiment reliée à Raphaël ? Je n'ai pas pensé à lui de la semaine. Je croyais avoir fait la paix avec cette tragédie.

Comment se fait-il que mon corps réagisse aussi fortement sans que je puisse me contrôler ? C'est comme si ma mémoire cellulaire, musculaire, émotive avait pris le contrôle de mon corps, de mon esprit. J'ai plongé dans l'eau turquoise et j'ai pleuré comme en 2002, à la mort de Raphaël. J'ai eu le sentiment d'être de retour à la case départ. Comme si mon désir d'enfouir mon mal pendant toutes ces années, tout en essayant de poursuivre ma vie sans en parler, n'avait servi à rien.

Cette réaction m'a beaucoup surprise. J'ai sorti la tête de l'eau et regardé la plage. Tout le monde était parti, sauf Sophie, dans sa robe de chambre, qui me regardait sans rien comprendre de ce qui venait de se passer. Je lui ai fait signe de me rejoindre dans l'eau, je ne pouvais pas la laisser comme ça sans lui expliquer ma réaction complètement disproportionnée. Elle s'est approchée de moi et je lui ai parlé de Raphaël, de l'embâcle, de mon impuissance à le sauver et de mon sentiment de culpabilité, de ce que je croyais réglé depuis longtemps. Jamais je n'ai pensé une seconde que tout cela allait refaire surface lors de ce voyage. Elle était bouche bée. Elle m'a serrée dans ses bras en me répétant qu'elle ne m'avait jamais demandé de la surveiller dans l'eau, qu'elle voulait juste qu'on profite ensemble de la mer, qu'on nage tout simplement dans ce décor majestueux. Je l'ai serrée en lui disant que j'ai eu peur de la perdre comme j'ai perdu Raphaël.

On est sorties de l'eau, la plage était maintenant déserte, le soleil commençait à réchauffer le sable. Tous les participants à ce voyage sont partis se préparer pour les ateliers du matin. Je déteste être en retard. Je me suis dépêchée de retourner à la chambre pour ensuite aller déjeuner et rejoindre le groupe pour la matinée.

En arrivant à la cafétéria, je me suis assise seule à une petite table avec mes fruits et mes céréales. Sophie s'est approchée en me demandant si elle pouvait se joindre à moi. Je lui ai souri. Après tout ce que je venais de lui faire vivre, c'était la moindre des choses que je lui permette de déjeuner avec moi. Je n'avais pas faim. Danielle, qui était à ma gauche pendant le yoga, est aussi venue nous rejoindre à notre table. Je sanglotais encore.

On a discuté de ce qui venait de m'arriver et on a parlé de la culpabilité de ne pas avoir plongé pour aller chercher Raphaël qui était toujours présente en moi. Qu'est-ce que je peux faire pour m'enlever ce sentiment qui me mine encore? En discutant avec elles, j'ai réalisé que ma culpabilité était surtout liée au fait que je n'ai pas plongé pour aller le chercher.

J'ai toujours pensé que ma culpabilité était d'avoir amené ma famille à Nouvelle pour cette activité de collecte de fonds. Ce que j'ai vécu sur le bord de la mer m'a violemment ramenée dans cette émotion pour que je puisse mieux la comprendre, la vivre. Je pouvais enfin mettre des mots sur ce sentiment qui m'habitait depuis tant d'années sans que je l'exprime. Est-ce que cette culpabilité m'empêchait d'évoluer? Cette réaction physique m'a surprise.

J'ai rencontré de belles personnes pendant toute la semaine. Mon retour à la maison s'est bien passé. J'ai raconté à Gilles mon expérience du Mexique, mais surtout comment j'ai réalisé que la blessure du décès de Raphaël était encore très présente. Mon sentiment de culpabilité et de responsabilité était toujours là. C'était désormais très clair à mon esprit.

Autre hasard: quelques jours après le retour du voyage, Danielle, qui a été témoin de ma réaction sur la plage, m'a écrit pour me raconter la discussion qu'elle venait d'avoir avec son fils qui habitait Sherbrooke. Sa conjointe, Tina, travaillait dans une garderie de Sherbrooke, le Bilboquet, là où Raphaël allait jusqu'à son décès. Ils ont réalisé que c'était elle qui était l'éducatrice de Raphaël à cette époque. Lorsqu'elle a appris l'accident le lundi matin au retour à la garderie en juillet 2002, elle s'est levée de la réunion et a décidé de partir tout de suite pour arriver à temps aux funérailles, qui avaient lieu le jour même à Québec. Lorsque France l'a aperçue dans l'église, elle s'est effondrée dans ses bras parce que le petit l'aimait beaucoup et parlait souvent d'elle. Une photo de Raphaël, prise à la garderie en présence de Tina et du père Noël, est encore bien en vue dans sa chambre dans la maison familiale.

C'est à mon retour du Mexique que j'ai pris la décision de réaliser mon rêve de marcher sur le chemin de Compostelle en 2018.

CHAPITRE 8

Compostelle, enfin !

Plus tu deviens silencieux, plus tu es capable d'entendre

– Lao Tseu

SEIZE ANS SE SONT ÉCOULÉS AVANT QUE JE ME RETROUVE sur le chemin de Compostelle. Mes filles ont accueilli mon désir de partir en 2018 avec un « Enfin ! Tu vas arrêter d'en parler… » plein d'amour.

De León à Santiago, 310 kilomètres en 14 jours de marche et de réflexion. J'avais besoin de silence dans ma vie pour me retrouver. J'ai toujours pensé que j'allais le faire seule, mais ma sœur Suzanne, qui a souffert d'un cancer du côlon en 2015, m'a signifié pendant la période des Fêtes qu'elle aimerait aussi marcher son Compostelle. Sa première résolution était de faire 10 000 pas par jour et de le maintenir. Ce projet devenait son objectif quotidien pour être en forme et retrouver la santé. Comment refuser cette offre ? Ça fait plus de 36 ans que j'ai quitté la maison familiale et que nous vivons dans des villes différentes. Dix-sept jours avec ma sœur, c'est un privilège que je ne peux refuser. Une telle occasion, ça ne se présente qu'une seule fois dans une vie. Sa santé va très bien aujourd'hui.

13 avril 2018. Il est 2 h 49, heure de l'Espagne. Je souffre du décalage horaire, je ne dors pas. Ma sœur et moi sommes arrivées à Saint-Jacques-de-Compostelle en soirée. Première nuit avant le début de cette belle aventure. J'ouvre un œil pour vérifier mes courriels et j'aperçois un message d'Élisabeth de l'équipe de la maison de production Téléfiction.

Depuis trois ans, nous travaillons, l'équipe de Téléfiction et moi, à l'élaboration d'un documentaire pour sensibiliser la population à la sécurité nautique. Je leur ai remis le rapport de l'enquête du coroner lors d'un lunch en ville en leur disant « si ça vous tente, je suis prête ». Au bout d'un moment, on n'y croit plus vraiment, c'est tellement long avant d'avoir le financement des organismes subventionnaires et les approbations. Mais cette nuit-là, le « go » officiel de l'acceptation du projet par le diffuseur est rentré. Tout arrive à point à qui sait attendre. J'ai relu ce courriel plusieurs fois et une larme a coulé sur ma joue dans la noirceur de notre chambre sur ce chemin de Compostelle. Voici le courriel.

« Bonjour à vous tous,

J'ai le grand plaisir de vous annoncer que le projet "Noyades" a été retenu en production au Fonds Telus !
Je suis vraiment très heureuse de m'engager dans ce projet avec vous !
Je vous souhaite une excellente fin de semaine !
Élisabeth

ÉLISABETH GERVAIS
Productrice »

Chaque fois que je lis le mot « noyade », je ne peux pas croire que mon neveu est mort noyé.

MON RÊVE DE COMPOSTELLE

C'est le grand départ à 7 h, le 13 avril. Il fait encore noir et froid lorsque nous entamons notre première journée de marche. Dans les premiers instants, nous apprivoisons les lieux et nous nous assurons de suivre ces petits coquillages jaunes que l'on aperçoit sur le sol, sur un arbre ou sur un poteau le long de la route. C'est la seule façon de s'orienter et de marcher dans la bonne direction. Marcher avec sa sœur pendant huit heures et parler sans arrêt. Rattraper le temps, toutes ces années depuis que nous partagions la même chambre à l'adolescence. C'est un cadeau de la vie. Le chemin que nous traversons, avec ses villages pittoresques, est magnifique.

On en profite pour manger une bouchée, changer nos bas et les bandages sur nos pieds.

La gestion des ampoules devient déjà une priorité à la deuxième journée. Malgré les bottes bien « cassées » et une bonne préparation des pieds, les ampoules apparaissent sans crier gare. Nous avons toutes les deux les pieds meurtris dès les premiers jours de cette aventure. Le soir venu, après 28 kilomètres de marche, on en prend soin pendant une grosse heure. Les bandages et les aiguilles stérilisées sont bien en place pour la préparation de la marche du lendemain. Nous sommes devenues des pros du traitement de pieds. Les bons conseils de ma sœur pharmacienne ont été très utiles.

Après quelques jours de marche, je lui ai fait part de mon intention d'écrire un livre sur la vie de Raphaël. J'ai réalisé en parlant avec elle qu'il y avait plusieurs morceaux du casse-tête qui me manquaient pour compléter ce récit.

Je me souviens très bien du moment où nous avons appris la nouvelle d'une tristesse inouïe que son fils âgé de 15 ans, l'aîné des petits-enfants, était atteint d'un cancer agressif, un lymphome de Hodgkin de stade 3-4. C'était en février 2002. À partir du mois de mars, il a reçu pendant plus de quatre mois des traitements de chimiothérapie, et la semaine du décès de son cousin Raphaël, il commençait la radiothérapie à Québec. Ce fut un été très triste pour toute la famille.

La famille s'était alors mobilisée autour de ma sœur, de son mari et de leurs quatre enfants pour passer à travers cette période difficile. On ne pouvait pas croire que deux enfants de la famille étaient frappés par les épreuves en l'espace de six mois.

La portion que j'avais oubliée, c'est qu'elle était avec nous, au parc Forillon, la semaine avant l'accident. Son mari, Michel, trois de leurs enfants et elle étaient venus nous rejoindre quelques jours. Ce séjour en Gaspésie leur permettait d'avoir un répit avec nous et les enfants pendant cette période éprouvante qu'ils vivaient à la maison.

Maxime était resté avec mes parents (ses grands-parents), puisqu'il avait commencé ses traitements de radiothérapie à Québec et que mon père, qui était nucléiste à l'Institut universitaire de cardiologie et de pneumologie de Québec (IUCPQ), pouvait accompagner son petit-fils à l'hôpital. La présence de ma mère, infirmière, et mon père était très rassurante pour Suzanne et Michel. Ils étaient investis dans les traitements de Maxime.

Aujourd'hui, Maxime va très bien, vit toujours dans la région de Québec et travaille dans le milieu de la traduction.

Le 21 juillet 2002, nous sommes tous partis de Forillon ensemble. Les voitures se suivaient jusqu'à Nouvelle, où nous poursuivions nos vacances pour quelques jours. Nous nous sommes salués à l'entrée du camping de la ZEC et ils ont poursuivi leur route jusqu'à Québec pour aller retrouver Maxime.

Trois jours plus tard, j'appelais ma sœur du bord de la route tout de suite en sortant de la forêt pour lui dire que Raphaël était resté sous l'eau longtemps, trop longtemps et qu'il était en direction de l'hôpital en ambulance. Elle a essayé tant bien que mal de me soutenir au bout du fil, elle se sentait bien loin de nous pour nous aider à ce moment précis.

La vie nous envoyait une autre épreuve comme pour tester la résilience familiale.

Ce qui m'a le plus touchée pendant les premiers jours de marche en Espagne, c'est la présence de la rivière. Je l'ai fait remarquer à ma sœur. Entendre le bruit de l'eau qui coule et voir la rivière me faisait penser à Raphaël.

Le décor était enchanteur. La forêt millénaire de la Galice me rappelait les belles forêts de la Gaspésie. Des petits et des grands pins, des feuillus, des tout croches, ils sont tous beaux dans leur différence. Nous avons traversé des collines, grimpé des falaises du matin au soir, la magie opérait.

Depuis que j'ai lu le livre *La vie secrète des arbres* de Peter Wohlleben, que mon père m'a offert à Noël, je me vois les observer et les regarder vivre d'une autre façon. Je me sens bien dans la forêt. Les arbres me font aussi penser à Raphaël, lui qui aimait tellement y grimper. Depuis des années, la marche en montagne m'inspire. C'est le lieu où je peux vraiment me ressourcer, me recueillir. C'est la raison pour laquelle j'aime à certains moments marcher ou faire du ski de fond, pour écouter le silence. C'est dans ce lieu que les idées me viennent à l'esprit. Parfois trop, même ! Bref, je me ressource en forêt.

Dans ce livre, j'ai appris que les arbres communiquent entre eux par les racines et s'entraident lorsqu'il y a une difficulté à affronter. Belle leçon pour les humains. Côtoyer les arbres nous apporte une harmonie qui est difficile à décrire. C'est apaisant.

Ce désir de me retrouver seule s'est fait sentir au bout de quelques jours de marche à deux.

Sans trop savoir d'où ce sentiment m'est revenu, j'ai eu peur. La rivière, la forêt, et la présence de ma sœur m'ont renvoyé comme un coup de poing en pleine face le sentiment de responsabilité que je m'imposais. Et s'il arrive quelque chose à ma sœur! C'est moi qui l'ai emmenée ici. C'est mon choix de faire Compostelle, même si nous avons décidé de vivre cette expérience ensemble. Je me disais que si je n'étais pas là, elle ne serait pas là non plus. J'ai le sentiment que si je pars en avant et qu'elle se blesse, ses enfants, son mari, mes parents me reprocheraient de l'avoir entraînée là. Je sais que c'est complètement absurde, ce que je dis, ce que je ressens, mais heureusement j'ai fini par être capable de l'exprimer. Au Mexique, où j'ai vécu quelques mois plus tôt, à travers cette même émotion et réaction physique, j'ai pu exprimer l'impensable, ce qui me paralysait depuis tant d'années. Je comprends maintenant pourquoi j'aime partir marcher seule. Je n'ai pas peur qu'il m'arrive quelque chose, je ne suis pas craintive pour moi, j'ai peur qu'il arrive quelque chose à ceux qui m'accompagnent et qu'on m'en tienne responsable. Culpabilité, sors de ce corps!

Personne ne me demande de prendre soin de lui ou de veiller sur lui, que ce soit Sophie au Mexique ou ma sœur sur les chemins de Compostelle, mais c'est comme si je veux fuir plutôt que de gérer cette situation. Ma sœur ne me reconnaît plus dans mes paroles. Elle ne m'avait jamais vu agir et parler de cette façon.

Je m'étais promis de ne plus jamais me remettre dans la situation d'organiser un voyage ou une sortie pour des membres de ma famille. Ça fait tellement longtemps que je n'ai jamais pensé que j'allais me sentir aussi démunie face à ma réaction.

Il fallait que je la revive une dernière fois pour guérir. Ma sœur m'a aidée à comprendre que le sentiment que je vivais était probablement causé par un choc post-traumatique. Elle n'avait aucune idée que ce drame m'avait aussi profondément marquée. C'était un sujet tabou pour la famille et moi.

Je me croyais guérie, mais ma mémoire émotionnelle m'a vite confirmé que la douleur était toujours là. J'ai ressenti très fortement ce sentiment de responsabilité complètement excessif par rapport à la présence de ma sœur. Elle avait beau me dire que je n'étais pas responsable d'elle, je ne pouvais m'enlever de la tête que s'il lui arrivait quelque chose, mes parents, mes frères et sœurs me diraient que c'est moi qui lui avais mis en tête d'aller marcher à Compostelle. Oui, je sais, ça n'a aucun sens… Ma sœur a quatre ans de plus que moi, elle est autonome et travaille comme pharmacienne dans un hôpital de Québec. Et les risques, sur le chemin de Compostelle, demeurent tout de même minimes.

C'est plus fort que moi, je lui dis que je veux marcher seule. Elle m'a regardée avec incompréhension. Je savais que mon discours et ma réaction physique étaient complètement démesurés. Que faire ? Je ne peux pas contrôler ce sentiment qui me pousse à marcher vite, très vite pour me distancier. Courir, fuir ce mal qui revient. D'un côté, je sais que ce n'est pas ce que je veux, mais de l'autre, je sauve ma peau.

Trop peur de souffrir si ça se reproduisait. Comme si mon cœur, ma mémoire ont tout amplifié. Je n'ai plus le contrôle de mes réactions lorsque je me retrouve dans une situation de responsabilité. Personne ne m'a demandé de prendre soin de lui, mais ce sentiment est tellement fort, tellement présent dans mon ventre. J'ai beau tenter de me raisonner, mon mental décide pour moi et souhaite que je marche seule. Je sais très bien que ça fait de la peine à ma sœur, ce n'est pas ce que je veux, mais c'est trop. Cette marche à Compostelle m'a permis de faire la paix avec cette peur et cette croyance qui me suivaient depuis 16 ans. Grâce à ma sœur, et bien malgré elle, j'ai pu revivre ce sentiment de responsabilité, celui que je m'étais promis de ne jamais revivre en me mettant dans cette situation. La vie en aura décidé autrement puisqu'il me restait à le vivre avec ma sœur. Merci, Suzanne. J'ai compris bien des choses grâce à nos discussions. Jusqu'à la fin du voyage, on se répétait matin et soir « Ton camino, mon camino et notre camino », histoire de nous rappeler que nous avions aussi notre chemin à vivre en solitaire.

À la suite de cette discussion, ma sœur et moi avons commencé à marcher des portions du chemin en « solitaire ». Elle a respecté ce besoin que j'avais et je lui en suis très reconnaissante.

On partait le matin ensemble et dès qu'on sortait de la ville, on poursuivait notre route en solitaire le reste de la journée. On se retrouvait à notre auberge en fin de journée. Suzanne avait fait les réservations avant de partir et les choix étaient parfaits. Elle a pris le temps de s'assurer de la bonne distance à marcher tous les jours et de choisir une belle auberge au centre des villages tout près de la route de Compostelle. Avant notre départ, elle m'a dit «Je gère mon insécurité et ton insouciance» pour justifier toutes les réservations d'auberge.

Ces moments de solitude m'ont permis de laisser l'inspiration monter en moi. J'aime l'inconnu et j'ai profité de ces moments pour enregistrer mes pensées lorsqu'elles se présentaient, grâce à mon cellulaire. Les premières phrases de ce livre ont vu le jour sur le Camino francés, dans le nord-est de l'Espagne.

Sur le chemin de Compostelle, j'aimais aussi aller à la rencontre des inconnus. En une journée, j'ai croisé des gens de 20 nationalités différentes. Au fil des jours, on en venait à rencontrer souvent les mêmes personnes, qui font des arrêts dans les mêmes villages. Je pense en particulier à deux hommes qui marchaient toujours ensemble. Ils étaient inséparables. Les deux amis s'étaient rencontrés à leur 15e journée de marche, ils en avaient 20 de plus à faire avant de terminer leur périple, comme 90% des marcheurs, au pied la cathédrale de Saint-Jacques-de-Compostelle.

Ça faisait déjà plusieurs jours que je les croisais sans jamais avoir entretenu une conversation soutenue avec eux. Seulement les mots d'usage prononcés par tous les pèlerins lorsque nous nous croisons… *Buen Camino*! (Bon chemin!)

Cette fois-ci, j'ai eu le sentiment que je devais leur parler. J'ai ralenti mon pas en arrivant à leur niveau et je leur ai demandé d'où ils venaient et pourquoi ils avaient décidé de faire le chemin de Compostelle. Craig Gilmore, de Seattle, était retraité depuis peu et a passé sa vie sur l'eau comme marin. Egil Sandve, de la Norvège, que nous avons surnommé Eagle, était aussi tout juste retraité. Il a tout de suite enchaîné en me racontant qu'il avait deux passions dans la vie et qu'il avait l'intention d'en profiter pleinement maintenant qu'il avait du temps: la marche et la pêche au saumon. Avant même que je lui pose une autre question, il s'est mis à me décrire de façon très émotive sa passion pour la pêche au saumon avec de multiples détails. Le silence, la rivière, la forêt, le bonheur de se retrouver dans la nature, seul ou avec des amis pour partager d'aussi beaux moments. Je l'écoutais parler et je pouvais très bien visualiser ce décor et vivre ces émotions qu'il me décrivait toujours en marchant à un pas soutenu. Derrière mes lunettes fumées, mes yeux se sont embués au point que j'ai dû les relever pour m'essuyer les yeux. Je me revoyais le 23 juillet 2002, sur le bord de la rivière Nouvelle en Gaspésie, à initier les cinq enfants à la pêche au saumon. C'était la veille de l'accident.

Au même moment, on arrivait devant un petit restaurant et ils m'ont dit qu'ils s'arrêtaient pour prendre un café. Je leur ai demandé si je pouvais les accompagner quelques minutes pour leur raconter une histoire. Ce qu'il y a de magique sur ce chemin est le respect de chacun pour l'autre. Je reprends une citation qu'un marcheur a partagée avec moi : « Le chemin est à tous et chacun y fait le sien. » C'est exactement comme ça que ça se passe. Certaines journées, tu n'adresses la parole à personne et les gens sont extrêmement respectueux du besoin de solitude que tu exprimes sans gêne. Alors, quand je leur ai demandé si je pouvais les accompagner, la réponse aurait très bien pu être « Non, on préfère être seuls ». Ils ont plutôt répondu : « Avec plaisir ! » Je me suis assise avec eux et j'ai dit à « Eagle » que sa description de son amour de la nature et de la pêche au saumon m'avait beaucoup touchée. Je lui ai mentionné que nos bottes et nos cannes à pêche dormaient dans le fond de notre garde-robe de cèdre depuis 16 ans.

Et j'ai raconté l'histoire de Raphaël, notre histoire, à ces parfaits inconnus les yeux sur mes mains qui tenaient ma tasse de café bien serré et le regard perdu dans mes souvenirs. J'ai relevé la tête au bout de dix minutes d'un monologue sur un pan de ma vie et ces deux hommes solides pleuraient devant moi.

Je me suis levée, les ai remerciés de m'avoir permis de m'ouvrir à eux. « Eagle » m'a regardée dans les yeux et m'a dit cette phrase qui m'a beaucoup marquée. « *Yesterday is history, tomorrow is mystery, that's why today is a gift, that's why it's the present.* » Il m'a serrée et fait promettre de retourner dans l'eau avec ma canne à pêche dès mon retour au Québec.

Retourner dans l'eau pour le plaisir de taquiner le saumon ou la truite. Je voulais revivre le plaisir de me retrouver dans ce paysage, cette quiétude, les bottes à l'eau en attendant que ça morde.

Tout mon corps et ma mémoire, mon subconscient, me tenaient loin de ces activités qui me font pourtant tant de bien. Je suis repartie seule pour les 10 derniers kilomètres qui me séparaient du village où je retrouvais Suzanne. J'avais le cœur plus léger. Ma décision était prise, je savais que Gilles et moi allions renouer avec la pêche au saumon.

Les derniers jours jusqu'à Saint-Jacques-de-Compostelle se sont très bien déroulés.

Nous nous sommes tous retrouvés à la cathédrale de Saint-Jacques-de-Compostelle pour la cérémonie des pèlerins. Lauran, Steve, « Eagle », Craig, Tullio et Gioseppe, Suzanne et moi, des amis que nous avons rencontrés au fil des jours. Nous étions tous ensemble par hasard la même journée à observer l'encensoir en action. Un beau moment pour terminer cette portion avec ma sœur.

COMPOSTELLE, BIS

En septembre 2018, j'ai décidé de retourner là-bas pour poursuivre et terminer ce pèlerinage, seule. J'ai poursuivi trois jours jusqu'à Finisterra pour me rendre jusqu'à la mer, seule.

J'ai marché seule les 100 derniers kilomètres, de Saint-Jacques-de-Compostelle à Finisterra. Je me suis ennuyée du côté très « planifié » de ma sœur. C'était le prix à payer pour aller au bout de mon besoin de liberté. J'ai vécu à fond mon besoin « je ne veux rien d'organisé ». J'ai même retenu une chambre à Finistère en Bretagne sur Internet en pensant que je réservais à Finisterra en Galice. Ma sœur a bien ri de moi quand je le lui ai raconté. Il n'y avait aucune chambre libre quand j'ai débarqué à Santiago. C'était la haute saison des pèlerinages. Et il y avait par surcroît un important tournoi de basketball dans la région. J'ai pris le temps d'écrire à ma sœur pour lui dire qu'il était possible que je dorme sur un banc de parc…

DE SANTIAGO À FINISTERRA

Je ressentais le besoin d'aller jusqu'au bout de ce chemin, jusqu'à la mer, jusqu'à la pointe la plus avancée de l'Europe dans la mer. Comme si je devais me rendre jusqu'à l'eau. Retrouver le plaisir de l'eau, marcher pendant 400 km pour voir la mer, marcher sur le sable mou et plonger dans l'océan… Ce que j'ai fait.

Le dernier matin, je suis assise dans la salle à manger de l'auberge dans le petit village d'Olveiroa où j'ai dormi. Je mange mes céréales maison, que j'apporte partout où je vais, et je bois mon café. Je sais que le prochain arrêt ne sera pas avant 10 kilomètres de marche. Je suis en train de calculer le nombre de kilomètres que je devrai franchir pour me rendre jusqu'à ma prochaine auberge. Je ne peux désormais plus compter sur ma sœur pour connaître la prochaine destination.

Des voyageuses me demandent jusqu'où je me rends aujourd'hui. Je leur dis Finisterra. La majorité des marcheurs parcourent entre 20 et 30 kilomètres, selon s'ils portent leur bagage ou non. J'avais fait le choix de les faire transporter à cause, entre autres, de mon mal d'épaule que je devais guérir à temps pour plonger aux fins du documentaire.

Quand j'ai mentionné ma destination finale, elles m'ont souri en me disant qu'elles me trouvaient bien courageuse de terminer avec une aussi grosse journée… Il est vrai que 33 kilomètres d'un coup, c'est beaucoup.

Je n'avais pas réalisé que 33 kilomètres me séparaient de la mer. Je me suis levée, j'ai rempli mes bouteilles d'eau et j'ai enfilé mon sac à dos. Il était 7 h, le soleil se levait dans quelques minutes et j'avais une belle dernière journée de marche avant d'atteindre cet objectif que je m'étais fixé en septembre 2002.

J'ai pensé à cette coïncidence : 33 km à franchir, 33 recommandations du coroner Kronström.

J'ai terminé le parcours. Tout était parfait. Il faisait beau, j'ai marché seule toute la journée pour pouvoir vivre pleinement la fin de ce long parcours. Cette marche représentait pour moi la synthèse d'un pan de ma vie. Du 24 juillet 2002 jusqu'au 24 septembre 2018.

Je me suis rendue jusqu'au point zéro de la marche de Compostelle et j'ai nagé dans la mer comme je l'avais visualisé tant de fois depuis des années. Ce sentiment d'accomplissement personnel me nourrit depuis toujours. Avoir une vision, un plan et se mettre en action jusqu'à sa réalisation.

Merci à la vie.

LES VILLES OÙ NOUS NOUS SOMMES ARRÊTÉES

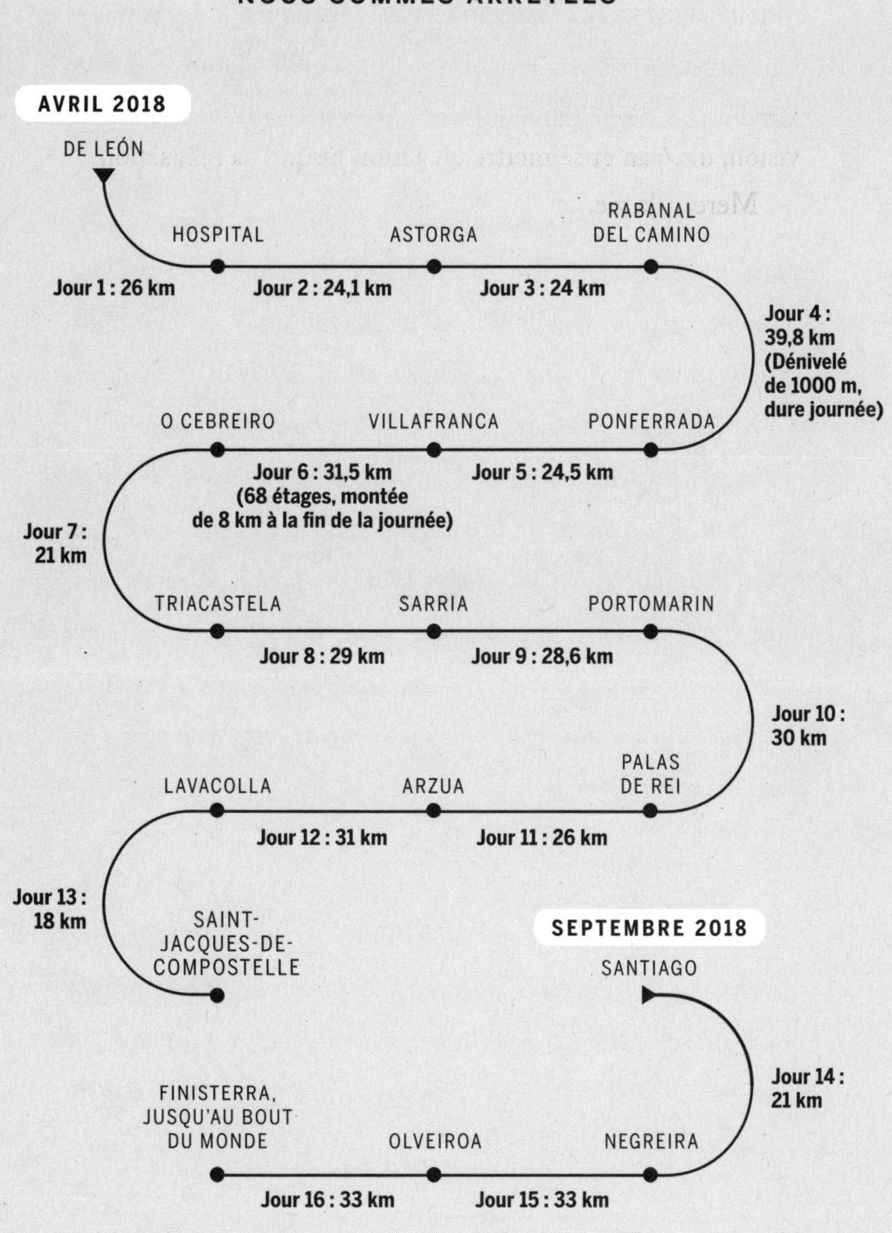

Parfois, en marchant, j'enregistrais sur la fonction dictaphone de mon téléphone quelques réflexions. Je les retranscrivais ensuite dans un cahier. Je les relis aujourd'hui avec émotion. En voici quelques extraits, en vrac :

Je marche depuis quatre heures en route vers Olveiroa. Ma quête se fait toujours en marchant, en grimpant. Je cherche des sommets. J'ai un besoin viscéral de me retrouver en haut d'une montagne. C'est là que j'atteins le calme intérieur. Est-ce pour la récompense de l'effort physique ? Pour la contemplation ? Le silence ? La guérison ?

L'envie me prend de dire merci à tous ceux, et vous allez tous vous reconnaître, qui ont ouvert plusieurs petites portes en moi, que je referme souvent trop rapidement. Ces portes me faisaient peur. Mon esprit plutôt cartésien, les enfants et mon environnement plus traditionnel m'empêchaient de retrouver mon vrai moi. Mon authenticité.

— * —

Ça fait six heures que je marche. Court moment d'euphorie. Sentiment de bien-être, de sérénité, de plénitude. Je suis remplie de gratitude d'être passée à travers ce dernier été avec le documentaire et le retour dans mon senti à cette période enfouie très loin dans mon corps.

— * —

Encore une fois, une métaphore me saute aux yeux. En avril, lors de la première étape de ma grande randonnée, il n'y avait encore aucune feuille dans les arbres. À peine quelques bourgeons. Je voyais des hommes et des femmes aux champs pour la semence. La nature s'éveillait. Maintenant que je suis de retour, en automne, les champs sont à maturité et c'est le temps de la récolte. Au printemps, le matin de notre première marche, j'ai appris la confirmation du tournage du documentaire. C'était le début de cette démarche entreprise trois ans plus tôt. La semence est à maturité. La récolte de toute cette recherche intérieure depuis tant d'années. Je suis privilégiée de pouvoir vivre ce grand moment avec moi-même.

Cet automne, je me sens apaisée. Je récolte ce bien-être, mais il a fallu aller bien loin à l'intérieur de moi pour ressentir cet état d'esprit. Ne pas avoir peur de plonger dans les profondeurs de l'âme pour mieux en rejaillir.

— * —

Six heures de marche. Deux heures avant la fin de la journée. Autre moment de félicité. Retoucher à la plaie pour la cicatriser. Je suis heureuse d'avoir rencontré les bonnes personnes pour réaliser ce documentaire et ce récit. Gratitude à toute l'équipe de tournage.

— * —

Objectif était de marcher seule. En huit heures, j'ai rencontré dix personnes. Une heure de marche avec une jeune étudiante en médecine de Turin. Je me suis même perdue et ai rallongé mon chemin de 30 minutes.

—*—

À 2 km de l'arrivée. Je commence à halluciner de fatigue et de bonheur. Je vois un champ de blés d'Inde, le vent dans les feuilles. Une belle haie d'honneur m'accueille. Merci.

—*—

La plus belle portion jusqu'à maintenant, les éoliennes, on s'approche de la mer, le vent souffle. J'avance avec mon ombrage. Le soleil dans le dos, l'ombrage devant moi. Je marche plein ouest, vers la mer. La fin de mon périple approche.

—*—

Mon ombrage me suit avec le soleil derrière moi. Comme être humain, on cherche… Je cherche depuis longtemps. Je me questionne… Pourquoi ? Comment expliquer aussi mon attrait pour le mystique ? En voyant l'ombrage ce matin, j'ai souri. La solution, ce que je recherche est à l'intérieur de moi. J'ai tellement cherché de solutions à l'extérieur. Tout est parfait.

—*—

S'asseoir sous un arbre. L'inconnu qui me fascine plutôt que de me faire peur. Je sais maintenant pourquoi je suis à Compostelle.

—*—

Ça fait 11 heures que je marche. L'ombrage est toujours là. Je ne l'ai jamais vu aussi clairement que ce matin. Je marche franc ouest directement vers la mer. Je suis partie avant le lever du jour. Le soleil éclaire mon chemin et me réchauffe. Cet ombrage est toujours à gauche, à droite ou devant moi. Il est toujours là, même si parfois je suis perdue et que j'ai l'impression d'être seule. Ce matin, c'est évident : je ne suis jamais seule.

— * —

À 9 km de l'arrivée. Je marche depuis six heures déjà. Route très vallonneuse, la mer qui est verte.

Gandhi : « Sois toi-même le changement que tu veux voir. »

Voilà où j'en suis.

— * —

Je terminerai mon livre. Qui que vous soyez – un guide, un maître, un coach, un ami, un membre de ma famille –, merci d'avoir contribué à mon mieux-être et merci tout simplement d'être dans ma vie.

— * —

J'entre dans un petit village tout près de Finisterra. Le bout du monde en Espagne. Une marche complètement différente. En avril, j'étais en questionnement, dans la rage, la colère, la peine. J'essayais encore de comprendre. La présence de ma sœur m'a permis de cheminer et d'ajouter des morceaux manquants au casse-tête. Aujourd'hui, avec la vue extraordinaire devant moi, la plage, l'eau verte. Je suis beaucoup plus en mode « contemplation ». Cette sérénité me permet de relever la tête et de contempler la nature. C'est magique.

Un grand voyage à l'intérieur de moi germait à ce moment même, mais je n'en étais pas consciente. Je peux affirmer aujourd'hui, 16 ans plus tard, que la fin de la vie de Raphaël correspond au renouvellement de la mienne.

CHAPITRE 9

Un tournage riche en émotions

DE JUIN À OCTOBRE 2018

ÉRIC LE RESTE, RÉALISATEUR DE L'ÉMISSION *SECOND REGARD* m'a contactée en 2014 pour le tournage d'une émission relativement à mon travail auprès des élus provinciaux. Il voulait me suivre pendant quelques jours pour mieux comprendre comment on pouvait transformer une norme sociale par rapport aux habitudes de vie des Québécois. À l'automne 2014, muni d'une caméra, il m'a suivie dans ma quête auprès des ministres responsables de différents ministères – des Transports, de la Famille, de l'Éducation et de la Santé – et même pour une présentation aux membres du caucus libéral.

Lors du visionnement de l'émission dans son bureau à quelques jours de la mise en ondes, je lui ai demandé si un jour il accepterait de faire un documentaire sur la vie de mon neveu. Je n'avais jamais envisagé un documentaire sur le sujet. Et voilà que, spontanément, je lance l'idée alors que je suis dans la tour de Radio-Canada. Éric m'a répondu qu'il allait y penser et qu'on pourrait se parler dans les prochaines semaines.

Lorsque je l'ai relancé au début de l'été 2015, il m'a offert un lunch en compagnie de son amie Lili, qui selon lui était la bonne personne pour m'accompagner dans ce documentaire. Plusieurs années ont été nécessaires avant d'avoir la confirmation de toutes les parties et le feu vert du début du tournage.

Nouvelle, juin 2018. Je suis assise à la table de l'auberge À l'abri du clocher, où Josée et Michel, les propriétaires, nous préparent le déjeuner qu'on souhaiterait bien avoir à la maison tous les matins. Toute l'équipe technique s'affaire à préparer l'équipement pour la première journée de tournage.

Journée que j'appréhende et qui s'annonce difficile pour moi. Je retourne en canot avec le guide d'aventure, Jean-François Dubé, sur une portion de la rivière Nouvelle. Retourner sur les lieux de l'accident, 16 ans plus tard. J'ai très peu dormi. C'est mon choix de retourner en canot sur la rivière et non une demande de l'équipe de production. Je sais maintenant que la rivière n'est pas dangereuse si on la navigue avec le bon équipement et avec les connaissances de sécurité pour éviter les lieux « dangereux » (embâcles, tournants sinueux, etc.). Dans le processus de guérison, il me fallait retourner dans un canot. Je suis une passionnée de plein air, mais depuis juillet 2002, l'eau vive n'était plus un environnement attirant pour

Le 6 août 1984, aux Jeux olympiques de Los Angeles.
J'ai été la première Québécoise à remporter une médaille d'or olympique.

France, Raphaël et Antoine, lors de nos vacances en Gaspésie, en juillet 2002

Jean-François et les enfants, aux Îles-de-la-Madeleine, à l'été 2001

Raphaël et son frère Antoine.
Ci-dessous, avec leur père, Jean-François.

France ajuste les vestes de flottaison des enfants, avant le départ pour la rivière Nouvelle.

France, Raphaël, Antoine et Jean-François, le 24 juillet 2002,
tout juste avant la randonnée qui a tourné au drame.

Les inséparables cousins et cousines : Florence, Antoine, Catherine, Raphaël et Annabelle

Raphaël adorait grimper dans les arbres. Il fallait parfois l'aider à redescendre...

Le célèbre rocher d'Es Vedra, à Ibiza, là où je suis allée chercher
du réconfort auprès d'une amie, à l'automne 2002.
Photo : Benoit Parisot

Avec Céline Dion, dans sa loge, et mes trois filles, lors d'un voyage à Las Vegas en 2003

Mon ami et ex-agent Pierre Lacroix, avec mes trois enfants

Dans l'ordre habituel, mon frère Jean-François, son fils Antoine, son épouse, France, et le petit Alexis, à son baptême, en 2004

Mon neveu Antoine, sur la plage d'Ocean City, au Maryland, en 2014. Ci-dessous, durant sa pause d'entraînement. Mon séjour auprès de lui a joué un rôle déterminant dans ma décision de m'engager à fond dans la cause de la sécurité aquatique.

Mon filleul Alexis et moi, au Festival de musique de Lanaudière, en 2017

Ma belle-sœur France et moi, au sommet du mont Lafayette,
dans le New Hampshire, à l'automne 2017

Ma sœur Suzanne et moi, sur le chemin de Compostelle en 2018

En solitaire, sur la route de Compostelle

De retour aux abords de la rivière Jacques-Cartier, 16 ans après la tragédie, avec l'équipe de tournage du documentaire

Pêche au saumon dans la rivière Nouvelle avec Rémi Lesmerises, directeur général de la Société de Restauration et de Gestion de la Nouvelle (SRGN) depuis 2017, lors du tournage du documentaire en 2018

Émouvante descente de la rivière Nouvelle avec le guide Jean-François Dubé, dans le cadre du documentaire

Élèves de 3e année de l'école Simon-Vanier à Laval qui sont initiés à la natation grâce au programme *Nager pour survivre* de la Société de sauvetage.

Avec Gilles, dans les sommets enneigés des Chic-Chocs, où j'ai célébré mes 55 ans en janvier 2019.

Séance d'échauffement avant mon plongeon du 21 octobre 2018

Photo : Bernard Brault

Quelques secondes avant de m'élancer vers l'eau, dans le cadre du tournage du documentaire

Photo : Bernard Brault

Avec mon entraîneur, Donald Dion

Photo : Bernard Brault

Plongeon arrière carpé (201B)... Plus de 34 ans après les Jeux olympiques de Los Angeles.
Photos : Bernard Brault

« Excellent ! » m'a dit mon entraîneur. J'étais comblée, d'où ce large sourire.
Photo : Bernard Brault

moi. J'ai réalisé cet été-là que la montagne (les deux pieds sur terre) était devenue mon lieu de prédilection depuis 16 ans. Et pourtant, j'ai aussi vécu les plus beaux moments de ma vie dans l'eau. Le documentaire m'a permis de retourner et de retrouver le plaisir des activités en eau vive, en toute sécurité (canot, kayak sur le fleuve, pêche au saumon, etc.).

Le risque zéro n'existe pas, mais je me devais de retourner sur la rivière Nouvelle en canot pour dépasser cette crainte envahissante qui m'habitait de façon très sournoise depuis toutes ces années.

Malgré ma conviction que ce documentaire sera salvateur, j'ai mes doutes qui reviennent me hanter par moments. Gilles m'accompagne, il a accepté de participer au tournage avec moi. Nous avons décidé de louer un petit véhicule récréatif pour la semaine de tournage puisqu'on voulait revenir sur le camping de la ZEC, là où nous étions il y a 16 ans. Le retour sur le camping est plus difficile qu'on l'avait imaginé.

L'équipe de tournage est assise à la table d'à côté. Gilles et moi avons peu de discussion ce matin-là, je suis dans mes pensées. Je lève la tête et j'aperçois sur un petit tableau juste devant moi une citation écrite à la main, la même citation que « Eagle » m'avait récitée sur le chemin de Compostelle. Elle est en français : *Hier est l'histoire, il n'existe plus. Demain ne viendra peut-être jamais, il y a le miracle du moment présent. Savourez-le, c'est un cadeau.* J'ai souri à Gilles et lui ai dit de se retourner et de lire le mot derrière lui. Tout va bien aller. Tout est parfait. J'avais besoin de cette douceur pour me donner la force de vivre la rivière Nouvelle. Vivre est le mot qui me vient en tête, vivre la rivière Nouvelle. Je veux renouer avec les plaisirs de l'eau sous toutes ses formes.

Grâce aux 12 journées de tournage, j'ai pu poser toutes les questions qui me hantaient depuis la lecture du rapport du coroner en 2004. Ce rapport est resté dans ma bibliothèque pendant toutes ces années et j'attendais le bon moment pour le reprendre et le feuilleter à nouveau.

Est-ce que l'industrie s'est prise en main pour assurer la sécurité des clients d'activités guidées au Québec ? Quelles sont les consignes ou règles de sécurité que nous devrions suivre avant de nous élancer dans l'eau vive – lac, rivière, fleuve ou autre plan d'eau ?

Est-ce que toutes les rivières sont navigables ? Est-ce qu'il y a obligation d'adhérer à Aventure Écotourisme Québec ou est-ce toujours laissé au choix du promoteur ?

Est-ce qu'il y a eu un changement depuis le décès de Raphaël lorsqu'on regarde l'industrie du tourisme d'aventure ?

Ce documentaire nous a permis, à Jean-François, France, Gilles et moi, de reparler pour la première fois depuis la sortie du rapport du coroner en 2004 de cette journée qui a changé nos vies. Jeff a mentionné lors du documentaire qu'il n'a jamais regretté d'avoir pris la décision de m'empêcher de plonger. Il m'a sauvé la vie. Son instinct de survie nous a sauvés. Il a décidé en une fraction de seconde qu'il n'y aurait pas d'autres victimes. L'entendre le dire devant la caméra nous a libérés.

La première rencontre de production avec toute l'équipe de Téléfiction s'est passée chez moi, dans la cour, en mai 2018. Je revenais tout juste de Compostelle et ils voulaient me proposer un calendrier de tournage. Lors de la conversation, Lili, la réalisatrice, m'a mentionné que la dernière journée de tournage à l'automne serait à la piscine pour filmer mon plongeon. Je me revois la fixer sans cligner des yeux en attendant qu'elle pouffe de rire. Est-ce une farce ? Mon réflexe a été de lever mon bras droit et j'ai fait quelques rotations vers l'arrière pour tester mon épaule qui me faisait mal depuis un an. Elle est manifestement sérieuse et ne réalise probablement pas que je ne suis pas remontée sur un tremplin de trois mètres depuis 34 ans.

À l'été 2018, j'en rêve. Toutefois, je suis très loin de cette propulsion à trois mètres au-dessus du tremplin. Je n'ose pas faire un simple plongeon arrière, j'ai perdu mes repères, mes patrons moteurs dans notre jargon. Il aura fallu sept séances d'une heure avant le 21 octobre 2018. C'était la date de tournage pour le documentaire.

J'ai relevé le défi, comme vous le savez. Ce plongeon est devenu le symbole de ma guérison.

CHAPITRE 10

Il faut que ça change

JE SUIS DE PLUS EN PLUS SEREINE, COMME SI J'ACCEPTAIS mieux le départ de Raphaël. Je n'ai pas de rancœur envers les organisateurs de notre sortie en canot. À quoi bon ?

Par contre, 16 ans plus tard, j'affirme haut et fort que les choses doivent bouger. Mes intentions en contribuant au documentaire et en écrivant ce livre sont très claires dans mon esprit. Il faut que ça change !

Dès le lendemain de la dernière journée de tournage, le 21 octobre 2018, je planifiais des rencontres avec les ministres concernés pour modifier la réglementation. J'ai l'énergie, les connaissances et le désir d'aller au bout de ce combat. J'ai la certitude que plusieurs étapes de ma vie m'ont amenée où je suis aujourd'hui pour me permettre de changer les choses et de donner un sens à ce que nous avons vécu. Toutes les pièces du casse-tête s'imbriquent.

Cette quête pour mieux comprendre m'a permis de réaliser que l'autorégulation de l'industrie du plein air et des activités aquatiques ne fonctionne pas. Trop d'organismes s'en remettent à leurs propres règles. C'est inacceptable, en 2019, et je suis prête à aller au front et à en faire ma cause.

Raphadou ne sera pas mort en vain et je vais m'assurer que le filet de sécurité qui doit être mis en place pour protéger la population est tissé assez serré pour réduire les risques au minimum.

Le Québec est un immense terrain de jeu qui ne demande qu'à être découvert. Que ce soit sur l'eau, dans les airs, sur terre ou dans la neige, il y en a pour tous les goûts. Au Québec, près des deux tiers de la population pratique des activités de plein air. Ça fait beaucoup de monde, plus de 5 millions de personnes. Et ça, c'est sans compter les voyageurs qui viennent ici pour profiter de la grande beauté de nos forêts et nos rivières.

C'est impensable qu'au Québec il n'y ait pas de loi pour encadrer les normes de sécurité des entreprises qui proposent des excursions sur l'eau.

Sur toutes les tribunes, depuis plus de trente ans, je milite en faveur de l'activité physique et du plein air. Avant que j'en parle publiquement, peu de gens avec qui je travaille étaient au courant du drame que j'avais vécu en 2002.

Nous vivons sur un territoire de plus de trois millions de plans d'eau douce et de millions de kilomètres de rivières. Nous avons accès à la majorité de ces plans d'eau, et pourtant, peu d'entre nous ont les connaissances suffisantes pour s'aventurer en activité autoguidée, c'est-à-dire lorsqu'on loue un équipement et que le plan d'eau et les services offerts sont sous la responsabilité et la supervision du locateur. Que ce soit dans une ZEC, dans un parc ou une réserve faunique, les règles de base de sécurité devraient nous être répétées pour éviter qu'un bel après-midi de vacances tourne au drame.

Je dis souvent que le vrai risque qui nous guette est la sédentarité, et je suis toujours aussi convaincue, malgré ce que nous avons vécu, mon frère, sa femme et moi, que le plein air, le jeu libre dans la nature demeure un des meilleurs moyens de nous épanouir comme société. Depuis 2011, je préside la Table sur le mode de vie physiquement actif, qui a comme mandat de concerter une trentaine d'acteurs gouvernementaux et non gouvernementaux afin d'assurer la cohésion entre les organisations dont l'intervention contribue à la promotion, à l'adoption et au maintien d'un mode de vie physiquement actif par la population québécoise.

Cette table de concertation a un objectif clair : faire en sorte que « d'ici 2027, le Québec soit un modèle de société physiquement active ». Le secteur du loisir et du sport du ministère de l'Éducation et de l'Enseignement supérieur (MEES) et le ministère de la Santé et des Services sociaux (MSSS) unissent leurs efforts pour atteindre cet objectif.

- Dans le cadre de nos travaux, nous avons créé, à la demande des membres, un sous-comité sur la « sécurité bien dosée ». Lorsque les réflexions de ce comité ont été présentées aux membres de cette Table j'écoutais avec beaucoup d'attention ce que signifiait le terme « sécurité bien dosée », vu l'accident de Raphaël.
- La sécurité est un volet **indissociable, essentiel et complémentaire** à la promotion de toutes activités visant un mode de vie physiquement actif.
- Si l'on veut optimiser et maintenir les bienfaits de la pratique d'activités physiques, celle-ci doit être effectuée d'une manière saine et sécuritaire. Il faut toutefois éviter de tomber dans la **surprotection, qui peut constituer un frein à la pratique d'activités physiques** et ainsi avoir des impacts négatifs sur la santé.
- La sécurité ne suppose donc pas l'élimination de tous les dangers, mais plutôt leur **contrôle** de manière à préserver la santé et le bien-être des individus et de la communauté.

Maintenant, non seulement je suis prête à faire la promotion d'un mode de vie physiquement actif, mais je veux m'assurer que les règles de sécurité changent au Québec. Je m'y étais engagée en 2004 lors de la sortie du rapport du coroner, mais j'en étais incapable à ce moment-là. Je reprends le flambeau après toutes ces années, mais avec plus d'une dizaine d'années d'expérience et de connaissance qui me permettent maintenant de trouver des solutions avec les ministères concernés dans le rapport du coroner.

J'ai déjà fait des revendications auprès du ministère du Tourisme, du ministère des Forêts, de la Faune et des Parcs et du ministère de l'Éducation, volet sport et loisir. Ils sont tous mentionnés dans le rapport, mais il reste tout de même beaucoup de choses à faire pour s'assurer qu'aucune famille ne vive le même « faux sentiment de confiance » inspiré par la prise en charge d'une entreprise qui offre une activité guidée, mais n'adhère pas à des normes contrôlées.

Cela demande beaucoup de concertation entre les divers ministères et tout autant de courage pour forcer une industrie à se prendre en main en vue d'assurer la sécurité de sa clientèle. À mon avis, on ne peut plus se permettre de laisser tout un chacun déterminer ses règles du jeu sans tenir compte des dangers qu'encourt la population. Ça tombe très bien puisque j'ai fait mon mémoire de maîtrise sur le sujet, en 2011, à l'Université McGill : « *La notion de leadership dans le cadre de la gouvernance interministérielle pour la promotion des saines habitudes de vie* ». Pas facile de travailler ensemble pour faire avancer un dossier, mais s'il y a une réelle volonté, c'est possible, et je vais poursuivre mon combat pour Raphaël.

J'accepte ce qui m'est arrivé. J'ai retrouvé une certaine paix intérieure, au terme d'un long cheminement. J'accepte que je n'aie pas pu plonger pour sauver Raphaël, je ne ressens plus de culpabilité et je n'en veux pas à ceux qui m'ont invitée au souper-bénéfice pour la ZEC de la rivière Nouvelle. Je n'en veux pas non plus à ceux qui nous ont accompagnés comme supposés « guides » le 24 juillet 2002. Cela étant dit, je ne pourrais pas vivre aujourd'hui avec un autre accident sur la conscience, puisque je sais que je peux avoir un impact, donner un sens à ce qui nous est arrivé.

Raphaël ne sera pas mort en vain puisque je vais poursuivre mes revendications pour que les ministères concernés changent les règles sur le vaste terrain de jeu qu'est le Québec. C'est encore le Far West dans certains endroits. Sur une même rivière, il peut y avoir plusieurs entreprises qui exercent des activités de descente de rapides avec des risques qui me semblent inacceptables en 2019. Oui, il y a un coût à la sécurité, mais combien vaut une vie ?

L'industrie du tourisme de plein air se développe beaucoup au Québec et c'est tant mieux. Toutefois, jamais je n'accepterai que ça se fasse au détriment de la sécurité des vacanciers. Il faut optimiser le plaisir du client, je veux bien. Nous devons toutefois nous efforcer de minimiser les risques en établissant des normes de sécurité qui deviennent obligatoires pour tous. Une entreprise de rafting devrait avoir l'obligation de s'assurer que les guides sont formés en sauvetage en eau vive par la Fédération québécoise du canot et du kayak.

On me dit qu'il y a un avant et un après Raphaël, que l'industrie s'est prise en main. Peut-être. Il reste tout de même que rien n'oblige les organismes à adhérer aux 60 normes de sécurité développées par Aventure Écotourisme Québec (AEQ). Si je fais une réservation demain matin auprès d'une organisation qui n'a pas obtenu son accréditation d'AEQ, je ne le sais pas et je risque la vie de ma famille.

Il faut savoir qu'Aventure Écotourisme Québec est une association qui déploie ses énergies pour représenter, défendre et promouvoir les intérêts de l'aventure et de l'écotourisme au Québec en vue de développer une offre touristique de qualité dans ces secteurs. Les entreprises qui complètent le processus d'accréditation obtiennent un sceau « Accrédité Qualité Sécurité ». Cela signifie que l'entreprise a des standards rigoureux de sécurité – dont un petit ratio guide/clients, des guides locaux spécialisés, de l'équipement de qualité, une assurance responsabilité civile et une connaissance minutieuse de l'environnement naturel où a lieu l'activité.

Les milliers de touristes qui débarquent ici pour profiter de nos forêts et nos rivières peuvent encore aller sur le site de Tourisme Québec et choisir une activité de plein air qui ne respecte pas les normes de sécurité recommandées par Aventure Écotourisme Québec.

Tant qu'il n'y aura pas d'obligation et de vérification par une tierce personne, je demeurerai sceptique.

À ceux qui veulent faire du canot ou du kayak sur une rivière comme activité guidée, je dis : assurez-vous que l'entreprise qui organise la randonnée est membre de l'AEQ.

À ceux qui louent une embarcation et se passent de guide, je recommande fortement de contacter la Fédération québécoise du canot et du kayak (FQCK) et de prendre quelques leçons avant de s'aventurer sur une rivière. Ainsi, vous serez en mesure d'évaluer les dangers, d'avoir une bonne connaissance des techniques afin de bien manœuvrer votre embarcation et vous comprendrez l'importance d'avoir les équipements de sécurité avec vous.

Premièrement, l'organisme qui vous loue l'embarcation devrait vous aviser des risques inhérents à la pratique de l'activité, vous donner des directives sur la sécurité et les recommandations importantes telles que le port de la veste de flottaison et le port d'un vêtement isothermique si l'eau est froide.

Si vous chavirez, que la température de l'eau est à 8 degrés, que vous êtes à 1 km de la rive et que vous n'êtes pas capable de réintégrer votre embarcation, un vêtement isothermique vous serait très utile, voire vital. Personne n'a l'intention de se retrouver à l'eau. Un accident ou un incident, on ne le prévoit pas. Une veste de flottaison n'est pas utile si vous chavirez et que vous ne la portez pas.

Lorsqu'on s'assoit dans l'automobile et qu'on attache sa ceinture de sécurité, ce n'est pas parce qu'on se prépare à avoir un accident. Les règles de base en plein air demandent la même approche préventive. On porte la veste de flottaison au cas où. Et le vêtement isothermique au cas où. Et on connaît les techniques de base afin de bien manœuvrer son embarcation.

Malheureusement, au Québec, aucune règle n'encadre les activités autoguidées. Les villes doivent développer leurs propres règles à partir de leurs connaissances. Il n'existe aucune obligation de valider avec la FQCK. Ce sont souvent des jeunes qui louent les canots aux familles. Des jeunes de bonne foi, certes, mais sans formation appropriée. Comprenez-moi bien, je veux qu'il y ait beaucoup de monde sur nos plans d'eau, mais pas à n'importe quel prix, pas au prix d'une vie.

Avant de s'aventurer sur un cours d'eau avec une embarcation, il y a plusieurs questions à poser. Avez-vous des connaissances sur les débits des rivières ? Avez-vous l'équipement nécessaire dans le bateau pour répondre à une urgence ? Quels sont les risques et que dois-je faire en situation d'urgence ?

CHAPITRE 11

Mon amour renouvelé pour la Gaspésie

COMME BIEN DES PASSIONNÉS DE PLEIN AIR, J'AI TOUJOURS aimé la Gaspésie et ses paysages à couper le souffle, entre mer et montagne. Après le drame de juillet 2002, toutefois, tout a changé. J'étais incapable d'y retourner, comme si j'associais désormais cette région au malheur.

Heureusement, ma rencontre avec Claudine Roy, une femme d'exception, instigatrice de la Traversée de la Gaspésie (TDLG), m'a permis de renouer avec ce coin de pays que j'aime tant.

C'était en décembre 2008, durant les vacances de Noël. Mon amie Julie Payette, l'ex-astronaute, aujourd'hui gouverneure générale du Canada, séjournait au mont Sainte-Anne, tout près du chalet que j'y possède. Elle nous a invités, Gilles et moi, à partager un souper avec des amis, tous amateurs de plein air, dont Claudine Roy.

Dès mon arrivée, j'ai été séduite par cette ambassadrice extraordinaire de la Gaspésie. Depuis plus de quinze ans, elle organise en février une semaine de randonnée en ski de fond ou raquette à laquelle participent environ 200 amateurs de plein air. Cette TDLG comporte aussi un volet culturel et de nombreux artistes y participent. Des conférenciers de tous les horizons y convergent, pour le grand bonheur des randonneurs. Depuis quelques années, une randonnée d'automne, à la marche, la « TDLG bottines » a également lieu, avec le même succès.

Je remercie la vie d'avoir mis Claudine Roy sur mon chemin. Grâce à elle, j'ai pu renouer avec la Gaspésie, ce terrain de jeu exceptionnel. Depuis ce fameux souper de décembre 2008, nous sommes devenues des amies. J'ai participé à quelques reprises à la TDLG. Chaque fois, je me suis émerveillée devant les talents de rassembleuse de Claudine.

Grâce à elle, Gilles et moi retournons souvent dans cette belle région du Québec.

Nous avons depuis de très beaux souvenirs de ce coin de pays. Chaque fois que nous allons en Gaspésie, c'est aussi une façon de nous recueillir et de saluer Raphaël.

À l'été 2018, alors que je séjournais à Gaspé, Claudine m'a proposé une excursion en zodiac pour admirer les baleines (qui étaient absentes ce matin-là). J'en garde un beau souvenir. Toutefois, cette activité m'a fait prendre conscience que j'éprouvais encore beaucoup d'angoisse à propos de la sécurité dans l'eau. La veille de cette sortie en mer, je me suis réveillée en pleine nuit avec une boule dans l'estomac. J'avais confiance en Claudine. Après tout, elle organise des événements avec des centaines de personnes, dans la forêt gaspésienne, et est très sensible aux questions de sécurité. L'idée d'aller sur l'eau dans une petite embarcation me paralysait tout de même. Au réveil, je l'ai bombardée de textos. Aurons-nous des vestes de sauvetage ? A-t-on une radio pour prévenir les secours en cas de détresse ? Quelle est la force du moteur du bateau ? Combien de personnes seront à bord du zodiac ? Elle a répondu à toutes mes questions. Tout était parfait en ce qui concerne la sécurité !

Peu importe avec qui j'étais, ma confiance en eau vive demeurait à son plus bas.

En ce qui a trait à cette randonnée en zodiac qui allait nous permettre d'admirer les phoques dans la baie de Gaspé, ce sentiment était présent. Je devais me répéter que je n'étais pourtant pas responsable de la vie des autres. Nous avons eu une très belle sortie.

Je crois pouvoir enfin dire, aujourd'hui, que je me suis libérée de cette appréhension. Je retrouve maintenant le plaisir de faire du plein air.

Cela me permet de séjourner en toute joie dans cette Gaspésie que j'adore.

C'est d'ailleurs là, dans les magnifiques Chic-Chocs, que j'ai célébré mon 55e anniversaire de naissance le 31 janvier dernier, à l'Auberge de montagne.

CHAPITRE 12

Nager pour survivre

Pour chaque fin, il y a toujours un nouveau départ

– Saint-Exupéry

Été 2014. Je célèbre mon 50e anniversaire de naissance, de même que le 30e anniversaire de l'obtention de ma médaille d'or aux Jeux olympiques des Los Angeles. Gilles et moi en profitons aussi pour souligner notre 25e anniversaire de vie commune. La vie a repris son cours depuis plusieurs années. Nos filles sont de jeunes adultes bien ancrées dans la vie.

Antoine et Alexis, les enfants de mon frère Jean-François, les frères de Raphaël, grandissent aussi à vue d'œil. Antoine a maintenant 19 ans, il est « sauveteur plage » à Ocean City, Maryland, aux États-Unis. Depuis qu'il est adolescent, il a toujours suivi des cours de natation et de sauvetage, comme ses parents l'avaient fait à son âge. Gilles et moi décidons de lui faire une surprise et nous nous rendons au Maryland sans préavis.

En arrivant sur le *boardwalk* (la promenade) à Ocean City, nous avons pris conscience de l'étendue de cette plage. Heureusement, France, sa mère, nous avait précisé qu'il travaillait avec l'équipe nº 2, à la 7e chaise en partant de la 1re rue. Il faut dire qu'il y a des chaises jusqu'à la 145e rue. On aurait pu le chercher longtemps en marchant dans le sable, d'autant plus que tous les sauveteurs ont plus ou moins la même allure ! Ils portent tous des culottes courtes rouges, un T-shirt ou manteau rouge et ils ont tous le même beau genre : cheveux blonds brûlés par le soleil, le teint bronzé et le regard au loin qui surveille les baigneurs. J'ai observé Antoine pendant plusieurs minutes sous le soleil avant de m'approcher. Je ne voulais pas qu'il nous aperçoive tout de suite. J'en profitais pour bien enregistrer cette image et savourer ce beau moment.

On m'aurait dit 12 ans plus tôt que nous serions là ce jour-là, je ne l'aurais pas cru. J'ai vécu toutes les émotions durant ces quelques minutes d'observation. Je me sentais un peu comme la tante qui revoit les neveux et nièces pendant les Fêtes et qui leur flatte la tête en leur disant qu'ils sont beaux et fins. Oui, j'étais cette tante bien fière de son neveu. Il était beau à voir, ce jeune homme. Tant de chemin parcouru pour se retrouver sur cette chaise, en position de sauver des vies. Oui, responsable de la vie des autres. Grâce à ses connaissances, ses compétences et son sens du devoir, il sensibilisait les baigneurs au danger des vagues de fond et à l'importance de ne pas s'éloigner du bord.

Lorsqu'il nous a vus, son sourire du haut de sa chaise de sauveteur m'a émue. Antoine, de nature peu expressive, a souri pendant plusieurs minutes. Sans quitter des yeux les baigneurs devant lui, en bougeant la tête de gauche à droite pour maintenir son attention sur tout le monde, il nous a demandé ce qu'on faisait là, étonné, comme si c'était par pur hasard qu'on se retrouvait sur la plage à Ocean City, au pied de sa chaise de sauveteur. On a bien ri. Il y a de ces beaux moments dans la vie qu'on ne peut oublier. En voilà un!

On a convenu de se revoir après sa journée de travail et d'aller souper ensemble. On s'est éloignés de sa chaise pour ne pas le distraire et le déranger pendant qu'il vivait sa passion. J'ai sorti mon appareil photo, encore une fois, et j'ai pris quelques photos pour immortaliser ce moment. J'ai toujours adoré photographier des paysages et des gens que j'aime. Combien de fois m'a-t-on appelée « la fatigante qui prend des photos » ? Je ne changerai jamais.

À un moment donné, un autre sauveteur est venu le remplacer pour sa pause entraînement (« *workout break* »). Il est descendu de sa chaise, a pris son aquaplane « *rescue board* » et s'est élancé dans l'océan pour une période de 15 à 20 minutes. (J'adore ce genre de pause!) Je continuais à prendre des photos en me disant qu'il serait heureux un jour de conserver ce beau souvenir.

Le soir venu, nous sommes allés le cueillir à la maison où il louait une chambre avec d'autres sauveteurs qui, comme lui, passaient l'été sur la plage. Ce sont des jeunes de partout qui étudient dans différents domaines pendant l'année scolaire et se retrouvent l'été venu pour sauver des vies. Il y a pire !

Pendant qu'il mangeait son steak (il en profite quand la visite passe), il nous a parlé de la vie sur la plage à Ocean City. Ses yeux brillants et son débit ne laissaient aucun doute sur sa passion pour le sauvetage en océan. Il déplorait l'insouciance de certains touristes qui laissent jouer leurs enfants sur le bord de la mer sans redouter les vagues qui peuvent les emporter. Ils n'ont pas de veste. La force des vagues, la force de l'eau. Il nous a raconté quelques sauvetages qu'il a faits.

Je ne pouvais l'écouter sans penser à ce qui nous est arrivé 12 ans plus tôt. Mes pensées se promenaient entre 2002 et le présent. Je n'en ai jamais reparlé avec Antoine. Il avait sept ans au moment du drame. On n'avait pas vraiment reparlé de Raphaël avec lui. Est-ce que la noyade de son frère l'a amené inconsciemment à vouloir sauver des vies dans l'eau ? Il est sans doute trop tôt pour qu'il puisse en être certain. Il est trop jeune pour ce genre de considération. Notre inconscient garde des secrets qui peuvent prendre des années avant de se dévoiler. J'ai 54 ans lorsque j'écris ces lignes et je commence à peine à bien comprendre l'ampleur du drame et de ses conséquences sur notre vie.

Nous sommes restés quelques jours au Maryland, ce qui nous a permis de partager de beaux moments avec lui. En

2018, il est inscrit au baccalauréat en soins infirmiers à l'Université. Je suis bien fière de mon neveu et du chemin qu'il a parcouru.

Il s'est passé quelque chose de très positif dans mon esprit lorsque j'ai vu Antoine debout avec son manteau rouge de sauveteur. C'est à ce moment très précis que j'ai compris que nous étions prêts comme famille à sensibiliser la population à la sécurité nautique en eau vive. Je reprends les deux dernières phrases prononcées lors du point de presse en mai 2004 lors du dépôt du rapport du coroner à la suite de la noyade de mon neveu: «Mon plus cher désir, c'est qu'un jour j'aie le sentiment que le sacrifice de la vie de mon neveu Raphaël aura servi à prévenir d'autres accidents comme le sien. Pour moi et tous ceux qui l'ont connu, et plus particulièrement ses parents et son frère Antoine, son absence sera alors plus facile à supporter.»

Tout vient à point à qui peut attendre, dit le proverbe. J'étais enfin prête.

À notre retour à la maison, j'ai appelé Raynald, directeur général de la division québécoise de la Société de sauvetage, pour lui dire que j'étais prête à donner un coup de main pour le programme *Nager pour survivre*. Je dis «je», mais ce «je» est en fait un «nous», car il fallait que je m'assure que Jean-François et France étaient eux aussi à l'aise avec l'idée que je commence à parler publiquement de sécurité nautique et que j'évoque du même souffle le drame qui a marqué notre vie. Heureusement, tout comme moi, ils estimaient que le moment était bon pour enfin réaliser notre rêve d'honorer la mémoire de Raphaël.

Ce récit et le documentaire s'inscrivent tout à fait dans cette volonté.

J'ai eu un choc quand j'ai lu que près de 70 % des enfants de 8 ans provenant de milieux défavorisés de l'île de Montréal se noieraient s'ils tombaient par inadvertance en eau profonde. Le programme *Nager pour survivre* est déployé dans presque toutes les régions du Québec, mais mon souhait est qu'il soit récurrent année après année. Ainsi, annuellement, 95 000 enfants pourront suivre ce programme. Je souhaite que la mise sur pied du Fonds Raphaël-Bernier contribue avec d'autres sources de financement, à la pérennité de ce programme.

On ne pourra pas sauver tous les enfants de la noyade, mais on peut être certain que des milliers d'enfants pourront bouger et découvrir le plaisir de nager en toute sécurité. Voilà mon rêve et mon legs à Raphaël.

Plus précisément, le programme *Nager pour survivre* consiste à enseigner trois habiletés de base en natation aux enfants, de manière à ce qu'ils puissent survivre à une chute par inadvertance en eau profonde.

Pendant que j'écris ces lignes, je vois passer sur le fil de presse le rapport d'investigation du coroner Louis Normandin à la suite de la noyade du jeune Blessing Claudevy Moukoko. Tous se souviennent de cet horrible drame : le 15 février 2018, ce jeune homme de 14 ans est mort noyé à la piscine Père-

Marquette, dans Rosemont. Il est resté au fond de l'eau près de 40 minutes avant que quelqu'un s'aperçoive de sa noyade.

Il avait 14 ans et participait à un cours de natation offert par l'école dans le cadre d'une période d'éducation physique. Chaque noyade en est une de trop. Je suis et resterai sensible toute ma vie à l'annonce d'une noyade, quel que soit l'âge de la victime, puisque la majorité des noyades sont évitables. Je reprends textuellement les recommandations du coroner Louis Normandin, dans son rapport publié le 27 novembre 2018.

«Je recommande au ministère de l'Éducation et de l'Enseignement supérieur que le programme *Nager pour survivre Plus* de la Société de sauvetage du Québec soit formellement intégré aux cours de natation dispensés en milieu scolaire et que la réussite de ce programme par l'élève soit un prérequis obligatoire à l'acquisition ultérieure de compétences techniques des différents types de nage [...] Je recommande que le cours de natation soit sous la supervision constante et simultanée d'un enseignant(e) et d'un sauveteur/surveillant (qui n'a d'autre tâche que de surveiller).»

Le contexte du «savoir nager» au Québec m'a surprise dès le départ. On a l'impression que tout le monde sait nager, mais savoir se baigner est une chose; savoir nager en est une autre. Si on demande à des enfants d'une classe de 3e année «qui sait nager?», ils vont à peu près tous lever la main. Les habiletés aquatiques des enfants sont souvent surestimées par eux-mêmes et par leurs parents. Jouer dans la partie peu profonde de la piscine avec les deux pieds qui touchent le fond ou jouer sur la plage avec de l'eau jusqu'aux genoux ne fait pas de nous des nageurs. Je le répète, beaucoup d'enfants, et même d'adultes, ne savent pas nager ou ont peu d'habiletés en natation.

Comme partout au Canada, nous bénéficions, au Québec, d'un terrain de jeu extraordinaire pour les activités aquatiques et nautiques. Nous sommes entourés de lacs, de rivières et de piscines. Et pourtant, aucune heure obligatoire n'est allouée au développement des habiletés aquatiques dans les écoles primaires et secondaires. La majorité des écoles primaires n'offrent pas d'activités aquatiques encadrées dans leur programmation. Dans les dernières années, j'ai eu la chance d'assister et même de participer à des classes de *Nager pour survivre*. Très touchant de sortir du vestiaire et d'observer des enfants de tous les milieux qui n'ont jamais mis les pieds dans une installation aquatique. Tous les enfants ne suivent pas des cours de natation. C'est la raison pour laquelle le coroner Jacques Ramsay, à la suite du décès par noyade d'un jeune de 8 ans, a recommandé en 2008 à la ministre de l'Éducation, du Loisir et du Sport d'intégrer *Nager pour survivre* au curriculum scolaire du 2e cycle du primaire.

Ce programme original s'apparente à une sortie scolaire qui se veut « éducative et sportive ». Depuis plus de 10 ans, les statistiques démontrant que les jeunes ne bougent pas assez me font dresser les cheveux sur la tête. La natation est une belle façon d'activer nos jeunes, mais encore faut-il qu'ils sachent nager en toute sécurité. Pour cela, ils doivent posséder une solide base pratique et théorique. Des recherches ont démontré que plusieurs enfants et adultes ne possèdent pas les notions de sécurité de base lorsqu'ils se retrouvent sur un plan d'eau. On leur apprend notamment, par le biais d'activités ludiques, l'importance de nager toujours avec un ami. On leur propose un jeu-questionnaire sur le dispositif de flottaison. On leur parle aussi de la nécessité de bien déterminer les endroits sécuritaires pour plonger. Et puisque nous vivons dans un pays d'hiver, on les sensibilise à l'importance de vérifier si la glace est sécuritaire avant de s'aventuer sur un plan d'eau en apparence gelé. Ces quelques notions de sécurité aquatique sont transmises en classe par l'enseignant ou encore par le moniteur de *Nager pour survivre* lors des séances en piscine, le tout soutenu par un volet numérique, www.nagerpoursurvivre.ca permettant tant aux parents qu'aux enfants de bien comprendre les règles de sécurité aquatique et nautique. Le programme *Nager pour survivre* n'est pas un cours de natation, je le précise, mais bien une première étape avant les cours de natation et la pratique des sports aquatiques. Avant de savoir nager, il est important de savoir se sauver si on tombe à l'eau de façon imprévue.

NAGER POUR SURVIVRE

- *Nager pour survivre*, c'est trois séances, d'une heure, en piscine sur trois habiletés aquatiques nécessaires pour survivre à une chute inattendue en eau profonde (entrée à l'eau, nage sur place et nage) ainsi que l'enseignement de trois notions théoriques.
- Le programme est destiné principalement aux élèves de 3e année.
- En passant par l'école, le programme permet de rejoindre tous les enfants.
- Le programme est simple, flexible et s'adapte à chaque enfant selon ses compétences acquises dans le passé.
- À la fin du programme, les élèves sont évalués en fonction de la norme canadienne *Nager pour survivre*. Ils peuvent faire l'évaluation avec ou sans gilet de sauvetage.
- Réussir la norme *Nager pour survivre* implique d'effectuer les trois habiletés ci-dessous sans porter de vêtement de flottaison individuel pour des chances optimales de survie en cas de chute :

1. Entrée par roulade en eau profonde

L'objectif ici est de savoir si l'enfant saurait s'orienter à la surface de l'eau après une chute inattendue. Souvent, une telle chute a pour conséquence une perte du sens de l'orientation et met en péril une respiration normale.

2. Nage sur place

L'enfant est-il capable de se maintenir à la surface de l'eau pendant une minute ? L'eau froide peut provoquer un réflexe de suffocation lors d'une immersion soudaine. La capacité de nager sur place aide à protéger les voies respiratoires pendant la reprise du souffle et permet de repérer un lieu sécuritaire où se diriger.

3. Se déplacer dans l'eau sur une distance de 50 mètres

La majorité des noyades surviennent entre 3 et 15 mètres d'un endroit sécuritaire. Considérant que les capacités normales peuvent être entravées en situation de chute réelle, une distance de 50 mètres est utilisée comme norme. Le déplacement permet donc de rejoindre le lieu sécuritaire repéré.

Heureusement, les noyades sont en diminution au Québec tout comme au Canada, et ce, peu importe les activités ou les lieux. La majorité de ces noyades sont d'origine récréative et sont évitables ! Évitables, le mot à retenir. C'est la raison pour laquelle je souhaite plus de campagnes de sensibilisation et de bons comportements aquatiques ou nautiques.

Les noyades en lieu surveillé totalisent moins de 1 % de toutes les noyades, ce qui représente, pour le Québec, moins d'une personne par année.[1] Il reste qu'une noyade, c'en est toujours une de trop.

Au pays, la natation – baignade – est responsable de 30 % des noyades lors d'activités récréatives. Le fait de ne pas savoir nager est assurément un facteur déterminant. D'après les données, 50 % des victimes savaient nager selon leurs proches, donc les 50 % restants ne savaient pas ou peu nager…

Nager pour survivre Plus, c'est l'équivalent du programme pour les 3e et 4e années, mais adapté pour les élèves des 1re et 2e secondaires. Les élèves doivent réussir la norme d'évaluation avec des vêtements, ce qui est plus réaliste que le maillot de bain. N'oublions pas qu'ici, l'idée est de démontrer comment l'enfant doit réagir s'il tombe à l'eau de façon involontaire. Ce programme permettra aussi aux adolescents d'apprendre comment aider si jamais ils sont témoins d'une situation de détresse par noyade. Lisons bien les recommandations et ce que le Dr Louis Normandin indique : « Je recommande que les cours de natation soient sous la supervision constante et simultanée d'un enseignant (qui donne le cours) et d'un sauveteur/surveillant (qui n'a d'autre tâche que de surveiller) ; je recommande qu'à défaut de remplir ces deux conditions, les cours

1. Rapport sur la noyade au Canada, Édition 2018. Élaboré par le Centre canadien de recherche sur la noyade pour la Société de sauvetage.

de natation en milieu scolaire soient suspendus jusqu'à nouvel ordre. »

Alors, le coroner Normandin n'indique aucunement que les cours de natation doivent être suspendus, mais bien que si nous n'avons pas cette supervision constante et simultanée avec l'enseignant et le surveillant-sauveteur, il y a lieu de ne pas avoir de cours de natation. Ici, je ne peux qu'être d'accord avec cet énoncé du coroner.

Nager pour survivre Plus peut s'adapter à des nageurs possédant différentes compétences en natation. Pour les non-nageurs comme pour ceux plus expérimentés, les élèves du secondaire vont apprendre des habiletés importantes en natation et en survie aquatique.

Pourquoi avec les vêtements ? C'est réaliste – lorsque des personnes tombent à l'eau, elles n'ont habituellement pas l'intention d'y entrer et elles ne sont probablement pas vêtues d'un maillot de bain. C'est plus difficile qu'on se l'imagine de nager avec des vêtements. Cela demande davantage d'efforts et d'endurance que de nager avec un maillot de bain.

En plus des habiletés personnelles de survie et de natation, les participants de *Nager pour survivre Plus* apprennent comment aider un ami en détresse sans se mettre eux-mêmes en danger. Les participants apprennent et s'exercent à rester en sécurité (sur le bord de la piscine ou sur la terre ferme), à appeler à l'aide (appeler des adultes ou le 911) et à faire preuve d'un bon jugement afin d'aider un ami à rejoindre un endroit sûr (parler, lancer ou tendre un objet à atteindre).

Les incidents aquatiques peuvent survenir n'importe où. *Nager pour survivre Plus* peut aider à garder vos enfants en sécurité lorsqu'ils sont près de l'eau, et ce, dès aujourd'hui et pour les années à venir.

Ce programme répond tout à fait aux recommandations de l'Organisation mondiale de la santé (OMS). Dans son premier rapport mondial sur la noyade, publié en 2014, l'organisme international a demandé à chacune de ses nations membres de mettre en place un plan d'action afin de contrer les décès liés à l'eau. La noyade est un problème de santé publique grave et négligé qui provoque 372 000 décès par an dans le monde.

Le nombre de décès égale près des deux tiers de ceux dus à la malnutrition et plus de la moitié de ceux imputables au paludisme. Cependant, aucun effort n'est déployé à grande échelle pour prévenir la noyade.

Il existe pourtant des stratégies efficaces que l'on peut mettre en œuvre à domicile, telles que l'installation de barrières pour limiter l'accès aux piscines et aux plans d'eau (comme une clôture autour de la piscine). Dans la communauté et à l'échelle nationale, l'enseignement des rudiments de la natation est également une mesure efficace pour apprendre aux enfants d'âge scolaire les notions de base de la natation, les consignes de sécurité et les rudiments de sauvetage.

Ces statistiques un peu sèches, ces données techniques et ce vocabulaire spécialisé ont pu parfois vous rebuter. J'en suis consciente et j'espère qu'on me le pardonnera. C'était toutefois un détour obligatoire. Car mon engagement dans la cause de la sécurité aquatique se veut la raison d'être du récit que vous avez entre les mains.

Je rêve que tous les enfants du Québec soient initiés à la natation. Je souhaite qu'ils puissent apprendre à nager afin d'avoir du plaisir avec l'eau tout en suivant les conseils de sécurité.

Si vous êtes un parent, un enseignant, un moniteur aquatique, un sauveteur, une direction d'école, un gestionnaire aquatique, et que vous désirez offrir un tel programme aux enfants de votre communauté, je vous invite à communiquer avec l'une des divisions provinciales de la Société de sauvetage au Canada (www.sauvetage.ca).

CHAPITRE 13

Merci, Raphaël !

LE 14 MARS 2018, QUELQUES SEMAINES AVANT MON DÉPART pour ma première randonnée à Compostelle, Pierre Cayouette, directeur de l'édition aux Éditions La Presse, m'a envoyé un courriel pour connaître mes disponibilités pour un lunch. « Je souhaite discuter d'un projet de livre avec toi », écrivait-il. Je n'ai jamais pensé écrire un livre, mais Raphaël en aura décidé autrement. J'ai répondu à Pierre sans même réfléchir que oui, j'étais prête à écrire un livre, et pourtant, tous ceux qui me connaissent savent très bien que j'ai déjà été approchée pour des projets de biographie ou autres, et que j'ai toujours dit non. Je n'étais pas prête.

Cette fois, j'ai plongé dans l'écriture. Me voilà aujourd'hui, isolée dans un chalet au mont Sainte-Anne, pour écrire ce récit. C'est à la fois mon histoire et celle de Raphaël, puisque ma vie est intrinsèquement liée à son trop bref passage parmi nous.

Avec sérénité et espoir, désormais libérée de mes peurs, j'ai écrit ce récit dans le but d'honorer sa vie. Il m'a ouvert la porte d'une dimension que je n'aurais probablement jamais explorée. Je ne veux plus de ces masques qui m'ont été très utiles pour me protéger pendant des décennies. J'accepte ma vulnérabilité sans me sentir « vulnérable » pour autant.

Dans ma tête et dans mon cœur, Raphaël est désormais un beau grand jeune homme de 22 ans, toujours présent. Je l'entends me parler. Je le sens heureux de nous voir ainsi donner un sens à sa mort qui paraissait si absurde.

En 2018, j'ai décidé de vivre pleinement et de passer à l'action. Compostelle, le tournage du documentaire *Le jour où je n'ai pas pu plonger* et ce livre m'ont libérée de la culpabilité qui me suit partout depuis trop longtemps.

Comme personne publique, il est certain qu'on met la lumière sur ce qui va bien et que l'on garde enfoui au plus profond de soi ce qui ne va pas. Ce masque qui protégeait ma fragilité, je n'en ai plus besoin. J'avance désormais à visage découvert, prête à me montrer telle que je suis. Je suis prête à m'exposer aux grands vents sans crainte que l'arbre casse. Maintenant, mon arbre est plus souple. Il a beau ployer sous les grands vents, les racines sont profondes et larges sous la surface. Je me sens libre. C'est aussi ça, vieillir.

J'ai trouvé un sens à cette épreuve. J'ai pardonné et je n'éprouve aucune rancœur envers qui que ce soit. Je veux du bien à tous ceux qui ont croisé ma vie, même le 24 juillet 2002. La rage, la colère, la culpabilité ne m'habitent plus. Ces émotions ont cédé la place à la joie, la conscience, la gratitude et la béatitude.

Mon but, désormais, est de vivre dans la joie et de servir. Ma médaille, le drame et tout le chemin parcouru me permettent aujourd'hui, à 55 ans, d'être utile, de redonner à la société.

Mon bonheur se vit à travers les milliers d'enfants de tous les coins du Québec, de tous les milieux de vie qui découvriront le plaisir de nager grâce au programme *Nager pour survivre.*

Tout mon parcours de vie m'a menée là. Je comprends maintenant, en revoyant le film de ma vie, le sens de ma médaille d'or olympique. J'en suis maintenant heureuse, consciente et j'en retire de la joie. Comme lorsque je gravis des montagnes, de la vision au bas de la montagne à l'atteinte du sommet, il y a des chemins sinueux, parfois de beaux points de vue et parfois des racines d'arbres, des roches ou des bouts où l'on ne voit plus le sentier. Il faut trouver le chemin pour réussir à gravir cette montagne. Je suis toujours sur cette montagne, mais je peux dire que le point de vue est magnifique, même si je ne suis toujours pas en haut. Ma vie est belle. Si j'ai dû passer par la douleur pour apprécier pleinement le bonheur et la joie, je l'accepte avec gratitude.

Je trouve le vrai succès à travers ma réalisation intérieure. À Los Angeles, je n'écoutais ni ne regardais mes rivales. Je ne voulais me concentrer que sur ma performance. C'est pourquoi j'écoutais sans cesse la trame sonore du film *Flashdance* (*What a Feeling*) entre chacune de mes figures. Je voulais que mes pensées soient totalement portées sur une figure à la fois et non sur mes compétitrices.

Grâce au plongeon, j'ai compris, vécu, senti le bonheur de se réaliser pour soi-même plutôt que de le faire en fonction de l'autre.

Ce livre me permet une fois de plus de me réaliser, quoi qu'il arrive. En sortant de la piscine à ma dernière figure, à Los Angeles, je ne savais pas que je remportais la médaille d'or. Et pourtant, j'affichais un sourire radieux. Ceux qui iront voir ces images que l'on trouve facilement sur YouTube en conviendront : mon sourire et tout dans ma gestuelle auraient pu laisser croire que je savais que j'étais en première position depuis la 2e figure sur 10 à exécuter. Et pourtant, je ne regardais pas le résultat de mes rivales. Ce qu'il faut comprendre, c'est que ma « satisfaction intérieure » était totale. J'aurais pu me retrouver en 5e position, cela n'aurait rien changé. J'étais extrêmement heureuse et comblée par ma performance, ce 6 août 1984. Certes, la médaille d'or demeure l'ultime récompense pour tous les athlètes olympiques, après des années d'entraînement. Mais lorsque je regarde la vidéo, je sais que le résultat final n'est pas ce qui m'a fait sourire et courir sur le bord de la piscine pour aller rejoindre mon entraîneur.

C'est plutôt le sentiment d'avoir tout donné et d'avoir plongé comme j'étais capable de le faire.

Aujourd'hui, je me sens un peu comme ça. J'ai tout donné en 2018 pour retrouver cette paix intérieure que je cherchais depuis si longtemps. Le documentaire et ce récit m'ont permis de replonger dans ce drame qui a changé le cours de ma vie et de celle de la famille de mon frère. J'ai plongé pendant plusieurs mois de ma vie – au sens propre comme au sens figuré du verbe « plonger » – pour ensuite mieux remonter sur le tremplin.

Je me sens bien et heureuse d'avoir franchi ce grand pas. Il me reste plusieurs autres défis à relever, mais celui-ci est très salvateur pour moi et, je l'espère, pour toute la famille.

Je souhaite l'abondance pour ce livre pour que tous les enfants du Québec soient initiés à la natation. Mes redevances de ce livre iront au Fonds Raphaël-Bernier, hébergé par la Société de sauvetage du Québec. Je ne suis qu'un maillon de la chaîne qui contribuera, avec d'autres, à assurer une pérennité à ce programme. Je ne voulais surtout pas me substituer à une organisation qui existe depuis 1909 au Québec.

Merci, au nom des milliers d'enfants qui vont découvrir le plaisir de l'eau comme je l'ai redécouvert en 2018.

Merci de m'avoir permis d'être dans ton scénario de vie, Raphadou, et de vivre avec toi ton dernier chapitre de vie terrestre. Nous aurions tous voulu te garder avec nous très longtemps, mais on a appris à vivre sans ta présence physique. Tu m'as ouvert la porte d'une vie beaucoup plus consciente. Tu m'as littéralement transformée.

Sachant que le récit narratif est reconnu scientifiquement comme moyen de surmonter les traumatismes de la vie, écrire l'histoire de Raphaël aura été un baume sur son absence.

Dans la vie, chaque fin annonce un nouveau départ, et je sens que le début de l'année 2019 annonce un nouveau départ dans ma vie.

Merci, Raphaël ! Et… à toujours !

Tante Sylvie xx

Remerciements

Merci à Gilles, pour son amour, sa patience et son éternel soutien.

À mes filles, Catherine, Annabelle et Florence : vous êtes le fondement de ma joie.

Merci, enfin, à tous ceux qui ont eu la générosité de m'accompagner dans ma démarche qui a mené à l'écriture de ce livre. Je vous exprime toute ma gratitude.

Merci à Pierre Cayouette, dont l'expérience et la sensibilité ont permis à ce récit de devenir réalité.

Merci à Raynald Hawkins, de la Société de sauvetage, et Pierre Gaudreau, d'Aventure Écotourisme Québec, qui ont répondu à mes multiples questions pour compléter les chapitres sur la sécurité aquatique et nautique.

Table des matières

L'intérieur de ce livre a été imprimé sur du papier Rolland Enviro Scolaire,
contenant 100 % de fibres postconsommation traité sans chlore,
certifié FSC® et fabriqué dans une usine fonctionnant au biogaz.

Cet ouvrage a été achevé d'imprimer en avril 2019
sur les presses de Marquis, à Montmagny (Québec).